Auto Rijbewijs halen
De theorie

Op basis van inzicht

ISBN 90 6799 087 6

Zevende printrun.

In deze uitgave staan de verkeersregels en daaruit voortvloeiende aanbevelingen zorgvuldig verwerkt. Aan de samenstelling van deze uitgave is veel zorg besteed. Desondanks kan er een onvolkomenheid zijn ontstaan. De uitgever is hiervoor niet aansprakelijk.

Waarschuwing! Dit boek is uitsluitend bestemd voor verkoop aan de consument.
Het mag niet door verhuur, uitlenen of anderszins aan derden in gebruik worden gegeven.

VEKA®BEST
De theorie in beweging

INHOUDSOPGAVE

Het rijexamen ....pagina: 6

1 Menselijk tekort als bestuurder 10
1.1 Algemeen 10
1.2 Zintuigen 11
1.3 Lichamelijke en geestelijke gesteldheid 13
1.4 Defensief, sociaal en besluitvaardig gedrag 21

2 Wettelijke bepalingen 26
2.1 Rijbewijs categorieën 26
2.2 Begrippen verkeersdeelnemers 29
2.3 Begrippen voertuigen 31
2.4 Begrippen wegen en weggedeelten 33
2.5 Overige begrippen en bepalingen 35
2.6 Opsporing en rechtspraak 40
2.7 Overtredingen 40
2.8 Misdrijven..41

3 Verkeerstekens 44
3.1 Verkeersborden 44
3.2 Verkeerstekens op het wegdek 47
3.3 Verkeerslichten 49
3.4 Aanwijzingen 54

4 Wegen 58
4.1 Tegemoetkomend verkeer...................................58
4.2 Fiets-bromfietspad,
    bromfiets op de rijbaan, fietsstroken 62
4.3 Rijden op enkelbaanswegen................................66
4.4 Bochten 70
4.5 Rijden op dijkwegen 72
4.6 Rijden in de bergen 72
4.7 Rijden op autowegen en autosnelwegen 73
4.8 Bewegwijzering 79

5 Bijzondere weggedeelten 82
5.1 Rotondes 82
5.2 In- en uitrit 89
5.3 Erf 90
5.4 30 km-zone 92
5.5 Voetgangersoversteekplaats (zebrapad) 93

INHOUDSOPGAVE

5.6	Bushalte, tramhalte	94
5.7	Overwegen	99
5.8	Brug en viaduct	102
5.9	Tunnel	104

6	**Gedrag bij kruispunten, voorrang, voor laten gaan**	108
6.1	Gedrag bij kruispunten	108
6.2	Voorrangsregeling	114
6.3	Afslaan	118
6.4	Voorrangsregels tram, militaire colonne, voorrangsvoertuig	121

7	**Snelheid en afstand houden**	126
7.1	Maximumsnelheden	126
7.2	Afstand houden	131
7.3	Stopafstand	134

8	**Andere weggebruikers**	138
8.1	Verschillende verkeersdeelnemers	138
8.2	Kwetsbare weggebruikers	139
8.3	Overige weggebruikers	145

9	**Rijmanoeuvres**	148
9.1	In- en uitstappen	148
9.2	Wegrijden	149
9.3	Voorsorteren	151
9.4	Rechts afslaan	152
9.5	Links afslaan	154
9.6	Inhalen	155
9.7	Invoegen	165
9.8	Uitvoegen	170
9.9	Weven	172
9.10	Ritsen	173
9.11	Bijzondere verrichtingen	174

10	**Stilstaan, parkeren, file, pech, slepen, ongevallen**	180
10.1	Stilstaan of parkeren	180
10.2	Stilstaanverboden	183
10.3	Parkeerverboden	187
10.4	File rijden	191
10.5	Pech	192

INHOUDSOPGAVE

10.6   Slepen 194

10.7   Gedrag bij ongevallen 196

11   **Communicatie, rijden met licht en in moeilijke weersomstandigheden** 204

11.1   Communicatie 204

11.2   Rijden met licht 206

11.3   Rijden in regen en wind 213

11.4   Rijden in mist 216

11.5   Rijden op besneeuwd of beijzeld wegdek 219

12   **Milieu aspecten** 228

12.1   Brandstofverbruik 228

12.2   Katalysator 230

12.3   Onnodig geluid 231

13   **Technische aspecten** 232

13.1   Aanhangwagen en lading 232

13.2   Lengte vrachtauto 238

13.3   Algemene periodieke keuring (APK) 239

13.4   Voorbereidings- en controlehandelingen 239

13.5   Voertuigeisen personenauto 241

14   **Verkeersbordenregister, aanwijzingen en rijdende afzettingen** 244

INLEIDING

Niet alleen de letter, zeker ook de geest

De verkeersregels hebben tot doel het verkeer veilig te maken voor alle weggebruikers. Er is geen situatie te bedenken waar niet een of meer regels van toepassing zijn. Toch zijn het de weggebruikers die betekenis en kracht moeten geven aan die regels, door een goede verstandhouding onderling, door redelijk gedrag, verdraagzaamheid, geduld, inzicht en verantwoordelijkheidsgevoel.
U kunt in een bepaalde situatie volgens de letterlijke tekst van het betreffende verkeersreglement juist handelen en tóch blijk geven van weinig verkeersinzicht.
U kunt in een bepaalde situatie het gelijk aan uw kant hebben en tóch onredelijk zijn. U kunt in een bepaalde situatie wettelijk vrijuit gaan en tóch moreel schuldig zijn. Het verkeer is geen onveranderlijk gegeven, maar een voortdurend gebeuren. Een omgaan met andere mensen waarbij iedereen evengoed verantwoordelijk is voor de veiligheid van de anderen als voor de eigen veiligheid. Met dat besef moet u de verkeersregels bestuderen en toepassen. Veiligheid begint niet bij anderen, maar bij uzelf.

Veel succes met uw "Auto Rijbewijs halen"!

Veka Best Verkeersleermiddelen.

Theorie-examen

algemeen

Als u alle hoofdstukken goed hebt bestudeerd, bent u aan uw theorie-examen toe.

Als u ook het *"Auto Rijbewijs halen* 1450 *examenvragenboek"* goed heeft bestudeerd en de theorie-opleiding bij de rijschool gevolgd, moet u kunnen slagen voor het theorie-examen. Om dat te kunnen doen, moet u een theorie-examenkaart kopen bij de rijschool of bij een van de CBR-vestigingen. De rijschool kan u vertellen waar u uw theorie-examen kunt doen. U kiest een theorie-examencentrum en uw rijschool maakt een afspraak. Meld u ten minste 15 minuten voor het begin van het examen aan de balie van het theorie-examencentrum.

U moet de door u ingevulde aanvraagkaart voor het theorie-examen overleggen plus één recente pasfoto, een geldig, wettelijk voorgeschreven identiteitsbewijs en een afschrift (uittreksel) uit de gemeentelijke basisadministratie persoonsgegevens. Zo'n uittreksel krijgt u tegen een kleine vergoeding op het gemeentehuis van uw woonplaats.

Aan de hand van bovengenoemde documenten controleert de theorie-receptionist uw gegevens en identiteit.

Als alles in orde is, geeft de persoon achter de balie u een plaatsnummer in de examenzaal.

multiple choice en ja/nee examenvragen

Als iedereen zit, start het examen. Na een uitleg en een paar oefenvragen, begint het eigenlijke examen. Het bestaat uit 50 vragen.

Bij veel vragen wordt een beeld van een verkeerssituatie getoond of u ziet een tekstvraag waarop meerdere antwoorden (multiple choice) mogelijk zijn of waarbij een getal moet worden ingevuld. Ook zijn er vragen die met ja of nee moeten worden beantwoord. Een tijdsbalk in het beeld geeft de resterende antwoordtijd aan. Zolang die tijdsbalk te zien is, kunt u uw antwoord wijzigen door gewoon de gele correctietoets te gebruiken en daarna het gecorrigeerde antwoord aan te geven.

theoriecertificaat

Zodra het examen is afgelopen, rekent de computer die op het kastje met antwoordknoppen is aangesloten, uit of u geslaagd bent. Als u minimaal 45 vragen goed hebt beantwoord, bent u geslaagd en krijgt u het zogenaamde "theorie-certificaat" mee naar huis. Het certificaat is één jaar geldig. Als u gezakt bent, is het verstandig om contact op te nemen met de rijschool. De instructeur kan dan de uitslag met u doornemen en vaststellen op welk gebied uw kennis nog onvoldoende is. Het volgen van nog enige theorielessen kan u helpen om de volgende keer wel te slagen.

Praktijkexamen

praktijkexamen aanvragen

Eenmaal geslaagd voor het theorie-examen, mag u het praktijkexamen aanvragen. U vult dan eerst de zogenaamde "*Eigen Verklaring*" in met vragen over uw gezondheid.

U vult ook een aanvraagkaart in. Nadat u het examengeld hebt betaald aan de rijschool en de rijschool de aanvraag met de Eigen Verklaring heeft opgestuurd en het geld heeft overgemaakt naar het CBR, duurt het nog enige tijd voordat u examen kunt doen. Uw rijschool kan u over de wachttijd informeren.

Afhankelijk van de wijze waarop het examen is aangevraagd en gereserveerd krijgt u van uw rijschool of van het CBR bericht over de datum en het tijdstip van uw praktijkexamen.

breng uw theoriecertificaat mee

Op de afgesproken dag en tijd moet u met uw rij-instructeur in de wachtruimte van het examencentrum aanwezig zijn. Zorg dat u het theoriecertificaat en een geldig, wettelijk voorgeschreven legitimatiebewijs bij u hebt.
U moet die aan de examinator laten zien, voordat u examen mag doen. Alle examentijden worden vaak via luidsprekers omgeroepen. Wanneer uw examentijd wordt aangekondigd, gaat u met de instructeur naar de examenzaal. Daar maakt u kennis met de rijexaminator.
Nadat deze zich heeft voorgesteld, controleert hij of u degene bent die het examen heeft aangevraagd.
Vervolgens vertelt de examinator onder meer hoe hij onderweg zal aangeven welke route u moet volgen.

Mocht de informatie u niet helemaal duidelijk zijn, vraag hem dan gerust nadere uitleg. Daarna gaat u met de examinator en de instructeur naar buiten. Voordat u instapt, vraagt de examinator u het kenteken te lezen van een auto die ongeveer 25 meter verderop staat.
Na deze ogentest stapt u in de auto. U controleert samen met de examinator of de remlichten, de richtingaanwijzers en eventueel ook de verlichting werken. Let erop dat ook het naar de auto toelopen en het instappen al bij het examen hoort. Doe dat dus volgens de regels.

instructeur mag meerijden

Als de auto in orde is, gaat u rijden. De examinator zit naast u. Wanneer u en de rij-instructeur dat willen, mag de rij-instructeur achterin meerijden. In het algemeen is het verstandig dat de instructeur meegaat, want deze kan u achteraf precies uitleggen wat er goed en fout ging bij het examen.

De examenrit duurt zo'n 35 minuten. De examinator geeft aan hoe u moet rijden en waar u welke bijzondere manoeuvres moet verrichten.

geslaagd of gezakt

Als u geen ernstige verkeersfouten hebt gemaakt èn u hebt laten zien dat u de auto beheerst, dan bent u geslaagd.
U hoort dat van de examinator, zodra u weer terug bent in de examenzaal. Tegelijk met zijn gelukwensen krijg u van de examinator een *"Verklaring van rijvaardigheid"* en de *"Verklaring van geschiktheid"* die op basis van uw Eigen Verklaring wordt afgegeven, mits er geen medische bezwaren zijn.

Ook krijgt u het "afschrift uit de gemeentelijke basisadministratie" terug, dat u bij de examenaanvraag hebt moeten inleveren. Zakt u voor het examen, dan krijgt u van de examinator de redenen hiervoor te horen.

Op het uitslagformulier kunt u bovendien terugvinden, op welke onderdelen u onvoldoende hebt gescoord. Mocht u de rubrieken op het uitslagformulier niet helemaal begrijpen, dan kan uw rij-instructeur precies uitleggen wat deze betekenen.

Veel succes.

L 1 Menselijk tekort als bestuurder

1.1 Algemeen

wie geen gevaar ziet, kan geen risico inschatten

Een auto besturen is gauw geleerd. U weet al snel hoe u moet starten, sturen, gasgeven, schakelen, remmen, keren en stilstaan. Deelnemen aan het verkeer echter leert u langzaam. Niet omdat u niet slim genoeg bent, maar omdat het verkeer wordt gemaakt door mensen. Mensen die allemaal verschillen van aard, stemming, mentaliteit en leeftijd. Ze zijn rustig, boos, vermoeid, volgzaam of nerveus, onverschillig, arrogant, ziek of overmoedig, twijfelend, aarzelend, verontwaardigd, gehandicapt, druk, verlegen, onberekenbaar, rusteloos, agressief, piepjong of stokoud.

Al die verschillende mensen, waar u er één van bent, nemen tegelijk deel aan het verkeer. Te voet, op de fiets, brommer, scooter of motor, in de auto, bestelwagen, bus of vrachtauto. Elk van hen vormt een risico voor de hem omringende verkeersdeelnemers.

Een goede rijopleiding leert u inzien hoe elke handeling en elke reactie van een van die vele verkeersdeelnemers, dus ook van uzelf, een situatie wijzigt van veilig in gevaarlijk of van gevaarlijk in veilig.

Inzicht, dat wil zeggen het juist inschatten van risico's, maakt het verschil. En inzicht kan niet zonder zelfkennis. Hoe eerlijker u met uw kwaliteiten en uw beperkingen omgaat, des te eerder en beter zult u met het verkeer een team vormen. U gaat dan, zoals altijd in een goed team, geven en nemen. Dat betekent erkenning, zorg en respect voor de ander opbrengen. Om samen veiligheid te creëren. Daarover gaat dit hoofdstuk.

het verkeer zal als een persoonlijke relatie moeten functioneren: het is geven en nemen

een auto besturen vergt veel zelfkennis
Als autobestuurder komt er heel veel informatie op u af. Die moet u waarnemen en herkennen om er vervolgens uw handelingen op af te stemmen. Daarvoor is nodig dat uw zintuigen stuk voor stuk goed functioneren. Heeft u problemen met een of meer zintuigen, dan moet u bij het rijden daar steeds terdege rekening mee houden. Les 1 van zelfkennis: beoordeel uw zintuigen.

1.2 Zintuigen

hoort u goed?
Veel informatie over verkeer komt via het oor: sirenes, alarmbellen, claxons, piepende remmen, motorgeronk, dichtslaande portieren, rijwind, banden en ook een verkeerd geluid van uw auto. Ook die geluiden helpen u om situaties te zien aankomen. Het is dus niet slim met keiharde muziek in uw oren te rijden.

ziet u goed?

De meeste en vaak ook belangrijkste verkeersinformatie heeft met zien te maken: verkeerstekens, lichtsignalen, tekstborden en beweging. Uw gezichtsscherpte voor ver weg en dichtbij moet voldoende zijn, zonder of met bril of lenzen.
Twijfelt u, laat uw ogen dan controleren. Kleurenblindheid en problemen met beperkt zicht bij schemering en in het donker zijn geen belemmering om te rijden, tenminste zolang u uw rijstijl hierbij aanpast.

ruikt u goed?

Als autobestuurder moet u leren gevaar te ruiken. Ook in letterlijke zin: gassen in uw auto door een kapotte uitlaat, lekkende dieselolie, een nog aangetrokken handrem terwijl u al rijdt, een kapotte katalysator, uw neus waarschuwt u.

voelt u goed?

Hard geluid is ook slecht voor uw evenwichtsgevoel, wat u net als uw tastzin bij het rijden nodig hebt. Worden evenwichtsgevoel en tastzin verstoord, dan voelt u onvoldoende de trillingen van de auto, de krachten in bochten, de cadans van de banden en de aard van het wegdek. Redenen te over om het rustig te houden in uw auto.

alle zintuigen op scherp?

Uw zintuigen werken meestal samen. Ze vullen elkaar aan om de informatie zo volledig mogelijk over te brengen.
U ziet hoe hard u rijdt aan de snelheidsmeter en de bomen die voorbij flitsen. U hoort het aan de wind die langs de auto suist, aan de regen die tegen de ruiten slaat en aan het motorgeluid.
U voelt het aan de vering en de trillingen van de auto.
Zo zijn er talloze voorbeelden, hoe zien, horen en voelen samenwerken.
Gezien die zintuigen steeds de aanzet geven voor al uw handelingen en reacties, mogen zij niet worden belemmerd, zoals door beslagen ruiten, harde muziek, onrustige passagiers, slechtzittende kleding, knellende schoenen of een slechte conditie.

1.3 Lichamelijke en geestelijke gesteldheid

rijdt u goed als u niet fit bent?

'Nee, natuurlijk niet!' Als u scheel kijkt van de hoofdpijn, als u koortsig bent, als u buikpijn hebt, als u down bent, als u veel piekert, als u zich hondsmoe voelt, dan bent u een minder goede verkeersdeelnemer. Dan tóch gaan rijden, is meer dan normaal risico's nemen. De vraag is of u het effect van die risico's kunt overzien. Een belangrijke vraag, want risico's nemen in het verkeer betekent dat u ook anderen daaraan blootstelt. Dat doet u ook als u een auto bestuurt, terwijl u onder zware medicijnen zit, alcohol hebt gedronken, jointjes hebt gerookt of, nog erger, drugs hebt gebruikt. Ken uw conditie. Ken uw verantwoordelijkheid. Voor uw eigen veiligheid en voor de veiligheid van al die andere verkeersdeelnemers waarmee u altijd, zelfs tijdens het kortste ritje, te maken krijgt.

concentratie

Neemt u deel aan het verkeer, neem dan niet tegelijk aan iets anders deel. Zware gesprekken met uw passagier, denkbeeldige discussies met uw partner of werkgever, telefoneren, een sigaret opsteken, eten, in het handschoenenvak rommelen, spiegels instellen, uw veiligheidsgordel omdoen, het leidt allemaal uw aandacht voor het verkeer af. U mist dan scherpte, alertheid en concentratie. Dat u op die manier een afslag mist, is niet zo erg.

kijk alert en handel geconcentreerd, dan kunt u omgaan met de risico's

Maar als u daardoor die plotseling afremmende auto raakt, zit u goed in de problemen. Als u van uzelf weet dat u gauw afgeleid bent en als u beseft wat de risico's zijn, dan laat u alles na wat u kan afleiden en doet u bepaalde zaken vóórdat u gaat rijden. Hoe vertrouwder het traject, dat u vaak of zelfs dagelijks rijdt, hoe makkelijker de concentratie verslapt. Blijf alert, ook al kent u het traject als uw broekzak. Wantrouw die zogenaamde "automatische route". Rijd ook daar steeds zeer oplettend!

vermoeidheid
Tijdens het rijden nooit last van zware oogleden, aanhoudend gapen, plotseling opschrikken, dubbel zien of even wegdutten? Beken maar, want het kan iedereen overkomen.
Die verschijnselen maken u ongeschikt om veilig te rijden. Ze gaan pas over als u stopt om even te rusten.

conditie
U wandelt, fietst of sport regelmatig. U eet gezond. In de auto zit u steeds in de goede houding en zet u op tijd het raam open voor wat frisse lucht.
Op lange ritten pauzeert u regelmatig om te ontspannen en de benen te strekken. Als u dat allemaal doet, dan zal deelnemen aan het verkeer fysiek geen probleem voor u zijn. Les 2 van zelfkennis: ken de grenzen van uw conditie.

alcohol
"Drink of rij, maar nooit allebei". Iedereen kent die slagzin, maar erg genoeg wordt er niet altijd naar gehandeld.
Het verraderlijke van alcohol is, dat u al gauw niet meer in staat bent uzelf objectief te beoordelen.
Alles holt achteruit: uw gezichtsvermogen, de aanpassing van uw ogen aan licht en donker, uw gevoel voor afstand en snelheid, uw concentratievermogen, uw evenwicht, uw reactiesnelheid.
Zo rijden is levensgevaarlijk, voor uzelf en voor anderen. Maar alcohol wordt toch weer door het lichaam afgebroken?
Inderdaad, met slechts 0,1 promille per uur.
De toegestane hoeveelheid alcohol in het bloed bedraagt maximaal 0,5 promille. Bij een ademonderzoek is de toegestane grens van het alcohol gehalte maximaal 220 microgram alcohol per liter uitgeademde lucht.

Deze grens is al bereikt wanneer u, binnen één uur, twee glazen bier drinkt!

Bier, wijn en jenever hebben verschillende alcoholpercentages, maar de hoeveelheid drank per standaardglas is ook verschillend. In het algemeen krijgt u per glas toch evenveel alcohol in het lichaam.

elk glas bevat evenveel alcohol

alcoholpercentage jonge bestuurder

Voor de bestuurder die nog geen vijf jaar zijn rijbewijs heeft, de zogenoemde beginnende bestuurder, bedraagt dit maximaal 0,2 promille (88 microgram bij ademonderzoek).

alcohol plus

Veiligheid in het verkeer ontstaat waar met gezond verstand risico's worden vermeden of genomen. Zelfs als u zich voorneemt om tot een bepaalde grens te drinken, geeft dat geen vrijbrief. Het valt tevoren niet in te schatten hoe hoog het alcoholgehalte in uw bloed wordt en wat dat met uw lichaam doet. Helemaal onvoorspelbaar wordt het, als u naast alcohol nog drugs neemt of medicijnen slikt.

Vast staat dat alcohol extra sterk werkt als u klein of licht bent, geen alcohol gewend bent, te snel drinkt, op nuchtere maag drinkt of als u zich niet goed voelt. Versnelling van de alcoholafbraak is onmogelijk en het is een fabeltje dat u weer zou kunnen rijden na een beetje slaap, wat frisse lucht, een fikse wandeling of sterke koffie. Er is maar één verstandige oplossing: rij alcoholvrij!

medicijnen

Met bepaalde medicijnen loopt u een verhoogd risico in het verkeer. Een negatieve invloed op de rijvaardigheid hebben vooral kalmeringsmiddelen, slaappillen, pijnstillers, eetlustremmers, peppillen, verdovingsinjecties van de tandarts, middelen tegen allergieën, reisziekte of verkoudheid. Sommige medicijnen werken 48 uur, ook als u ze maar eenmaal gebruikt. Wie tegelijk medicijnen en alcohol of drugs gebruikt, vraagt om levensgrote problemen. Op de verpakkingen van verkeersgevaarlijke medicijnen staat met een gele sticker aangegeven dat zij "de rijvaardigheid kunnen beïnvloeden". Twijfelt u, vraag het dan aan uw arts of apotheker.

bij twijfel vragen of uw medicijnen het rijden kunnen beïnvloeden

drugs

Autorijden en drugs gebruiken is een onaanvaardbare combinatie. Ongeacht of het soft- of harddrugs zijn: hasj, marihuana, cocaïne, crack, heroïne, LSD, snuifmiddelen, amfetaminen, XTC en soortgelijke pillen.
Ze werken allemaal op het centrale zenuwstelsel, beïnvloeden de lichamelijke en psychische gesteldheid en veranderen het gedrag. Het effect is vaak niet in te schatten, van de ene op de andere keer kan hetzelfde middel verschillend uitwerken.
Logisch dat het gebruik van elk van deze drugs een uiterst negatief effect heeft op de rijgeschiktheid. Minstens zoals alcohol, maar vaak zelfs erger omdat de afbraak in het lichaam veel trager gaat. Rijden onder invloed van drugs is net als rijden onder invloed van alcohol levensgevaarlijk en valt onder crimineel gedrag (misdrijf).

emoties

Als u deelneemt aan het verkeer moet u niet alleen uw voertuig onder controle hebben, maar ook uw emoties. Dit geldt zowel voor negatieve als voor positieve emoties: angstig of overmoedig, paniekerig of zorgeloos, verdrietig of blij, gefrustreerd of opgetogen, agressief of passief. Als een van deze gevoelens doorslaat terwijl u achter het stuur zit, gaan uw rijgedrag en uw concentratie erop achteruit.

deelnemen aan verkeer zonder stress is aangenamer en veiliger; ontspannen kunt u zich beter concentreren

Natuurlijk zijn gevoelens belangrijk, want dan weet u dat u leeft. Het wegverkeer vraagt echter permanent om nuchtere, verstandelijke beslissingen. U kunt zo uitgelaten zijn, dat u vlinders in uw buik krijgt en wel over de weg zou willen vliegen.

U kunt zo geërgerd zijn door het tergende gedrag van iemand voor u, dat uw nekharen overeind gaan staan en u hem het liefst zou willen afstraffen. Op zich menselijke gevoelens, maar het is wijzer uw gezonde verstand te laten werken en zo uw emoties onder controle te houden.

stress

We leven in een drukke wereld. Niet alleen op de weg, maar ook op het werk en vaak zelfs in de vrije tijd. Niet zelden stappen we al vol stress in de auto en dan komt er de druk van dat overbelaste verkeer, opstoppingen, omleidingen, wegwerkzaamheden, ellenlange files en dwingende achterliggers ook nog bij.

En ondertussen loopt het dashboardklokje ongenadig door.
Onder stress kunt u hectisch worden, nerveus, verstrooid en
ongeconcentreerd.
U kunt zonder dat u er erg in heeft te hard rijden,
verkeerstekens, de remlichten van een voorganger, spelende
kinderen of fietsers missen. De oplossing is: weiger mee te
doen aan de stress. Schud de druk van u af voor u instapt en
stel u in op het deelnemen aan het verkeer. Deelnemen aan het
verkeer zonder stress is prettiger en veiliger.

tolerantie

Er zijn evenveel verschillende bestuurders als er voertuigen op
de weg rijden. En u bent straks één van hen. Zorg dat u een
gewaarschuwd bestuurder wordt, want dan telt u voor twee.
U denkt dan niet alleen aan uzelf maar ook aan anderen. U rijdt
dan niet over de weg alsof u het rijk alleen hebt, maar u deelt
de verkeersruimte in alle redelijkheid met anderen. U staat
daarbij niet altijd op uw strepen, maar u reageert tolerant op
vergissingen of fouten van anderen.

overschatting

Er rijden heel wat mensen rond die van zichzelf denken dat ze
een ideale bestuurder zijn. Ze menen vaak dat ze alles in de
hand hebben, dat ze met hun voertuig alles kunnen en durven.
Daar zit een flink risico in, want wie zichzelf overschat kan een
gevaar worden, voor zichzelf en voor andere weggebruikers.

wie zich overschat is een gevaar, voor zichzelf en voor anderen

Vooral ook omdat er minstens evenveel bestuurders zijn die aan zichzelf twijfelen, die schuchter, aarzelend of zelfs angstig aan het verkeer deelnemen.

En tussen die zichzelf overschattende bestuurders en die angstige bestuurders zitten nog eens talrijke andere typen weggebruikers. Het probleem is dat u nooit precies kunt inschatten met welk type bestuurder u, naast, voor of achter u, te maken heeft. U bent gewaarschuwd!

vriendelijkheid

Als ideale bestuurder bent u beleefd en vriendelijk, rijdt u met de nodige veiligheidsmarges, houdt u uw voertuig en uzelf onder controle, ziet u in andere verkeersdeelnemers geen tegenstanders maar partners, probeert u niet anderen te imponeren met uw rijprestaties en houdt u steeds goed rekening met de verkeers- en weersomstandigheden.

ervaring

Gaat u horen bij de alleskunners die zich door niets van hun stuk laten brengen en denken, dat ze hun gedrag in het verkeer niet hoeven te veranderen? Komt u terecht bij de groep van schuchtere bestuurders, die snel onzeker wordt als de verkeerssituatie wat ingewikkeld is?

De praktijk zal het u leren. Hoe meer u deelneemt aan het verkeer, hoe meer ervaring u opdoet. En juist van die ervaring moet iedereen het hebben, de alleskunners, de schuchtere rijders en alle anderen daar tussenin.

hoe meer u deelneemt aan het verkeer, hoe meer ervaring u op doet, laat het echter geen negatieve ervaring zijn

oordeel

Als u een goede bestuurder wilt zijn, dan beoordeelt u uzelf regelmatig en eerlijk op grond van uw ervaring: "Overschat of onderschat ik mezelf? Zie ik mezelf als superieure bestuurder? Besef ik wat ik kan, wat ik goed doe en wat ik nog beter zou kunnen doen? Als ik een fout heb gemaakt, beken ik die dan ruiterlijk en geef ik niet een ander de schuld? Leer ik ook iets van mijn fouten? Hoe heb ik vandaag gereden? Zou ik anders, nog beter willen of moeten rijden?" Stuk voor stuk zinvolle vragen, die u uzelf moet stellen om vervolgens uit de eerlijke antwoorden lering te trekken.

agressie

Jammer genoeg zijn er nu eenmaal agressieve rijders. Die permanent op de linkerrijstrook rijden, die gevaarlijk inhalen, afsnijden, dringend bijna op uw achterbumper zitten, met lichten knipperen, voorrang opeisen en ga zo maar door. U bent gewaarschuwd!

ergernis

Dat u zich aan zo'n gedrag ergert, is heel menselijk, maar met die ergernis schiet u niets op. Integendeel, want van kwaad kan het tot erger komen. Zowel bij die agressieve bestuurder als bij uzelf. Bovendien kan het ook gebeuren dat wat op agressie lijkt, geen agressie is, maar gewoon een foute beslissing, een kwestie van onhandige haast of ander onjuist gedrag, waar geen duidelijke verklaring voor is.

Vermijd ergernis, want die werkt negatief op uw eigen rijgedrag. Als een ander zo nodig wil imponeren, laat hem maar begaan en kies voor eigen veiligheid.
Net als met meer dingen in het dagelijks leven geldt in het wegverkeer ook: als niemand zou willen winnen, dan zou uiteindelijk iedereen daarbij winnen.

1.4   Defensief, sociaal en besluitvaardig gedrag

defensief gedrag

Defensief gedrag is onder andere gebaseerd op:

- goed anticiperen;
- effectief kijken;
- goed reageren.

U rijdt defensief als u:

- vooruit loopt op mogelijke ontwikkelingen;
- juist reageert op fouten van anderen;
- juist kijkgedrag vertoont;
- de belangen van andere weggebruikers respecteert.

Het gaat hierbij vooral om reageren op de aanwezigheid en het gedrag van andere weggebruikers. Ook het reageren op afwijkend gedrag van anderen.
Defensief gedrag is gebaseerd op het respecteren van het belang van andere weggebruikers en het bewust zijn van de eigen verantwoordelijkheid voor een veilig verkeer. Het bevorderen van een zo veilig en gunstig mogelijke verkeerssituatie moet steeds centraal staan, bij elke verkeersdeelnemer. Stem uw rijden daar op af.

u rijdt defensief als u juist reageert op fouten van anderen

U dient zich zo te gedragen dat andere weggebruikers niet worden verrast.
U moet bijvoorbeeld niet:

- onnodig claxonneren;
- onnodig abrupt afremmen of stoppen;
- op het laatste moment te weinig uitwijken;
- met te weinig tussenruimte tweewielers inhalen.

Probeer een dreigend gevaar op te heffen door tijdig:
- af te remmen;
- uit te wijken;
- te stoppen.

Kunt u op één van deze manieren het gevaar niet opheffen, dan geeft u, afhankelijk van de situatie, een geluids- of lichtsignaal.

*het dreigend
gevaar heft
u op door
een geluidssignaal
te geven*

Voor achteropkomende bestuurders moet u de alarmlichten laten knipperen indien u door bepaalde verkeers- en/of weersomstandigheden plotseling snelheid moet minderen of moet stoppen.

Dit geldt met name:
- bij filevorming;
- als u stil gaat staan op onoverzichtelijke plaatsen;
- wanneer u moet stoppen en het zicht als gevolg van duisternis of weersomstandigheden onvoldoende is om u tijdig op te merken.

sociaal gedrag
- laat bij een rijbaanversmalling ruimte vrij voor inhalende bestuurders;

- laat indien mogelijk volgwagens die kennelijk behoren tot een uitvaartstoet voor gaan;
- vermijd indien mogelijk het rijden door plassen, indien andere weggebruikers daar hinder van ondervinden;
- laat bestuurders invoegen als u op de doorgaande rijbaan in file rijdt.

*blokkeer niet
de ruimte
die anderen
willen innemen
maar laat
bestuurders
invoegen*

U moet andere weggebruikers niet irriteren door bijv:
- onverwacht in te gaan halen;
- met een te klein snelheidsverschil in te halen;
- bij filevorming of andere verkeersopstopping nadrukkelijk snelheid op te voeren en een ruimte af te sluiten die een andere bestuurder had willen innemen.

besluitvaardig gedrag
Besluitvaardig gedrag houdt in dat u niet onnodig voorrang verleent en ook niet langer wacht dan de situatie vraagt.
Vaak kunt u uit het gedrag van uw voorliggers opmaken hoe de verkeerslichten zijn afgesteld.

Er zijn verkeerslichten die reageren op het verkeersaanbod. U moet snel doorhebben welke verkeerslichten reageren op uw nadering. Reageer besluitvaardig, stop niet onnodig en nog belangrijker: wacht niet onnodig.
Snel de juiste besluiten nemen, daar gaat het om. Een voorbeeld: gebruik de dekking die andere voertuigen u bieden om af te slaan, om in te voegen, om door te rijden etc.

Besluitvaardig gedrag is het tegenovergestelde van twijfelend gedrag. Zodra u twijfelt, weten andere weggebruikers niet meer hoe de situatie zich zal gaan ontwikkelen.

conclusie

Evenredig met de toename van het wegverkeer neemt het belang toe van de basisregels van het Reglement verkeersregels en verkeerstekens.

Regels die een beroep doen op positief gedrag, positieve mentaliteit, verantwoordelijkheidsbesef en het gevoel voor gevaar en veiligheid van verkeersdeelnemers.

De deelname aan het verkeer vereist een voortdurende voorzichtigheid en wederzijdse tolerantie.

deelnemen aan het verkeer vereist voortdurend voorzichtigheid en tolerantie; die twee deugden verdragen geen alcohol

L 2 Wettelijke bepalingen

2.1 Rijbewijs categorieën

Het rijbewijs moet u aanvragen op het gemeentehuis. Met de verklaring van rijvaardigheid, de "verklaring van (medische) geschiktheid" en twee (recente) pasfoto's gaat u naar het gemeentehuis. U moet daar een ondertekend aanvraagformulier inleveren en de leges betalen.
Het rijbewijs kunt u meestal na een of twee weken op het gemeentehuis ophalen. U krijgt daarvan bericht.
Naast uw naam, geboortedatum en adres vermeldt het rijbewijs ook uw sofi-nummer.

Uw rijbewijs moet geldig en goed leesbaar zijn. Als de geldigheidsduur van uw rijbewijs is verstreken mag u niet rijden. U moet eerst een nieuw rijbewijs aanvragen. Met een kopie van uw rijbewijs mag u ook niet gaan rijden.

rijbewijs A
Met het rijbewijs A mag u motorvoertuigen op twee wielen, motorvoertuigen op twee wielen met zijspanwagen en motorvoertuigen op twee wielen met aanhangwagen besturen.

Afhankelijk van het afgelegde motor-examen kan voor het A-rijbewijs de beperking gelden dat men de eerste twee jaar alleen mag rijden op een motorfiets waarvan het vermogen niet meer dan 25 kw en tevens niet meer dan 0,16 kw per kg ledige massa bedraagt.

Personen jonger dan 21 jaar moeten altijd het examen afleggen waaraan die rijbewijsbeperking is verbonden.

rijbewijs B

Met rijbewijs B mag u rijden met motorvoertuigen, niet zijnde motorvoertuigen van categorie A, waarvan het ledig gewicht, vermeerderd met het laadvermogen, niet meer bedraagt dan 3500 kg. Die niet zijn ingericht voor het vervoer van meer dan 8 personen, de bestuurder daaronder niet begrepen, alsmede door genoemde motorvoertuigen voortbewogen aanhangwagens of opleggers. Waarvan het ledig gewicht, vermeerderd met het laadvermogen, niet meer bedraagt dan 750 kg, danwel meer bedraagt dan 750 kg, mits in dat geval het ledig gewicht, vermeerderd met het laadvermogen van de aanhangwagen of oplegger niet meer bedraagt dan het ledig gewicht van het motorvoertuig. Bovendien, het ledig gewicht vermeerderd met het laadvermogen, van het samenstel van trekkend motorvoertuig en aanhangwagen of oplegger niet meer bedraagt dan 3500 kg.

controleer het eigen gewicht van de auto en het eigen gewicht plus laadvermogen van de aanhangwagen voordat u gaat rijden met alleen rijbewijs B

rijbewijs C
Met rijbewijs C mag u rijden met motorvoertuigen, niet zijnde motorvoertuigen van categorie D, waarvan het ledig gewicht, vermeerderd met het laadvermogen, meer bedraagt dan 3500 kg, alsmede daardoor voortbewogen aanhangwagens of opleggers, waarvan het ledig gewicht, vermeerderd met het laadvermogen, niet meer bedraagt dan 750 kg.

rijbewijs D
Met rijbewijs D mag u rijden in motorvoertuigen die zijn ingericht voor het vervoer van meer dan 8 personen, de bestuurder daaronder niet begrepen, alsmede daardoor voortbewogen aanhangwagens of opleggers, waarvan het ledig gewicht, vermeerderd met het laadvermogen, niet meer bedraagt dan 750 kg.

rijbewijs E
Met rijbewijs E mogen bestuurders die in het bezit zijn van rijbewijs B, C of D rijden met een andere aanhangwagen of oplegger dan op grond van dat rijbewijs mag worden voortbewogen.

bril of contactlenzen wordt vermeld
Als u een bril draagt of contactlenzen hebt, wordt dat op uw rijbewijs vermeld. U mag dan niet zonder bril of contactlenzen autorijden. Zorg er voor dat u een reservebril hebt. U kunt die het beste gewoon in het dashboardkastje laten liggen.

geldigheidsduur
Een rijbewijs blijft 10 jaar geldig. U moet om de 10 jaar, met nieuwe pasfoto's, naar het gemeentehuis om een nieuw rijbewijs aan te vragen. U krijgt geen bericht als die periode van tien jaar is verstreken. Dat moet u zelf in de gaten houden. Personen ouder dan 65 jaar krijgen een rijbewijs dat maximaal 5 jaar geldig is.

rijbewijs kwijt?
Bij verlies of diefstal van uw rijbewijs moet u daarvan aangifte doen bij de politie en opnieuw naar het gemeentehuis gaan om een nieuw rijbewijs aan te vragen.

kentekenbewijs
Het kentekenbewijs wordt afgegeven door de Dienst
Wegverkeer (RDW). Het bestaat uit:
*   Deel IA – Voertuigbewijs:
    Hierop staan de technische gegevens van het voertuig vermeld
    (zoals het kentekennummer, merk, type, chassisnummer, massa
    van het ledig voertuig etc.). Deel IA is de gehele levensduur van
    het voertuig geldig.
*   Deel IB – Tenaamstellingsbewijs:
    Dit is de tenaamstelling van het voertuig (naam, adres
    woonplaats en geboortedatum van de eigenaar of houder van
    het voertuig). Deel IB is geldig van koop tot verkoop van het
    voertuig.
*   Deel II – Overschrijvingsbewijs:
    U heeft het overschrijvingsbewijs (eigendomsbewijs) nodig om
    bij verkoop van de auto het kenteken over te laten schrijven op
    naam van de nieuwe eigenaar.

2.2   Begrippen verkeersdeelnemers

Om het verkeer vlot, soepel en vooral ook veilig te laten
verlopen, zijn er allerlei regels gemaakt. Zonder die regels zou
het verkeer een grote chaos worden en zouden er veel
ongelukken gebeuren.

Sommige regels geven aan wat u persé moet doen, andere
regels geven aan wat u moet laten en weer andere geven alleen
maar adviezen. Om deze regels te kunnen begrijpen en
toepassen, moet u eerst de begripsbepalingen kennen. Deze
komen in het verloop van dit boek steeds terug.

bestemmingsverkeer
Bestuurders van wie de bestemming is gelegen aan of in de
directe nabijheid van een weg die blijkens een bord gesloten
voor bepaalde bestuurders is, maar open voor bestuurders die
slechts via deze weg hun bestemming kunnen bereiken,
alsmede voor bestuurders van lijnbussen.

bestuurders
Alle weggebruikers behalve voetgangers.

geleiders van rij- en trekdieren en vee zijn weggebruikers die onder de categorie bestuurders vallen

bestuurders van motorvoertuigen
Iedereen die zelf een motorvoertuig bestuurt, rijles geeft of rijexamen afneemt.

militaire colonne
Een aantal zich achter elkaar bevindende militaire motorvoertuigen of motorvoertuigen van een rampenbestrijdingsorganisatie onder leiding van één commandant die de herkenningstekens voor militaire colonnes voert:
- eerste voertuig twee blauwe vlaggen;
- alle volgende voertuigen aan de rechterzijde één blauwe vlag;
- laatste voertuig één groene vlag aan de rechtervoorzijde;
- alle voertuigen behalve het laatste voertuig: rechterkoplamp blauw licht;
- laatste voertuig: rechterkoplamp groen licht;
- alle voertuigen: linkerkoplamp wit licht.

verkeer
Alle weggebruikers.

voetgangers
Iedereen die te voet aan het verkeer deelneemt; óók als men daarbij een klein voertuig aan de hand mee voert, zoals een kinder-, boodschappen- en bagagewagen. De regels voor voetgangers gelden ook voor:

- personen die te voet een motor, bromfiets, snorfiets of fiets aan de hand meevoeren;
- personen die zich verplaatsen op bijvoorbeeld rolschaatsen of een skateboard;
- bestuurders van een gehandicaptenvoeruig, als zij gebruik maken van een voetpad of trottoir.

*rollerskaters
vallen onder
de categorie
voetgangers*

weggebruikers
Iedereen die van de weg gebruik maakt: voetgangers, fietsers, snorfietsers, bromfietsers, bestuurders van gehandicaptenvoertuigen, van brommobielen, van motorvoertuigen of van een tram. Verder: ruiters, geleiders van rij- of trekdieren of vee en bestuurders van een bespannen of onbespannen wagen.

2.3   Begrippen voertuigen

aanhangwagen
Voertuig dat door een ander voertuig wordt voortbewogen of kennelijk bestemd is om te worden getrokken, alsmede een oplegger. (Let op: een gesleept motorvoertuig wordt ook als aanhangwagen beschouwd, maar de bestuurder van het gesleepte motorvoertuig moet toch een rijbewijs hebben!)

autobus
Motorvoertuig dat is ingericht voor het vervoer van meer dan acht personen, de bestuurder niet meegerekend.

bromfiets
Voertuig op twee of drie wielen met een verbrandings- of elektromotor. Als het om een verbrandingsmotor gaat, mag de cilinderinhoud niet meer zijn dan 50 cm3 en moet het voertuig zijn gemaakt voor een snelheid van ten hoogste 45 km/u. Een bromfiets mag in plaats van een verbrandingsmotor ook een electromotor hebben, maar ook dan mag de bromfiets niet geconstrueerd zijn om harder te rijden dan 45 km/u. Bromfietsen zijn voorzien van één of twee gele platen of vlakken op het voorspatbord. Bepaalde lichte vierwielige voertuigen met een motor kunnen als bromfiets worden aangemerkt. Ook een brombakfiets wordt als bromfiets beschouwd.

brommobiel
Bromfiets op meer dan twee wielen, die voorzien is van een gesloten carrosserie. Brommobielen zien er uit als kleine personenauto's. Zij moeten aan de achterzijde voorzien zijn van een rond bord (wit met rode rand) met het getal 45. Een brommobiel mag niet voorzien zijn van gele platen of gele vlakken.

gehandicaptenvoertuig
Voertuig met of zonder motor, dat is ingericht voor het vervoer van een gehandicapte en dat niet breder is dan 1,10 m. Gehandicaptenvoertuigen met een motor moeten zijn gemaakt voor een maximumsnelheid van ten hoogste 45 km/u.

lijnbus
Autobus die aan de hand van een tijdschema een vaste route volgt ten behoeve van openbaar vervoer.

motor
Motorvoertuig op twee wielen, met of zonder zijspan of aanhangwagen.

motorvoertuigen
Alle gemotoriseerde voertuigen, behalve bromfietsen en gehandicaptenvoertuigen, bestemd om anders dan langs rails te worden voortbewogen. De regels voor bestuurders van motorvoertuigen gelden ook voor bestuurders van brommobielen.

snorfiets
Bromfiets die door zijn constructie niet sneller kan rijden dan 25 km/u. Een snorfiets moet voorzien zijn van een oranje plaat of vlakken op het voorspatbord.

voorrangsvoertuig
Alle motorvoertuigen die blauwe zwaai/knipperlichten voeren en twee of drietonige hoorn. Meestal zijn dit auto's en motoren van de politie-, brandweerauto's of ambulances.

vrachtauto
Motorvoertuig dat niet is ingericht voor het vervoer van personen, waarvan de toegestane maximum massa meer bedraagt dan 3500 kg.

2.4   Begrippen wegen en weggedeelten

G1

autosnelweg
Een weg die is aangeduid met bord G1. De langs autosnel-wegen gelegen parkeerplaatsen, tankstations en bushaltes maken geen deel uit van de autosnelweg. Daar gelden dus niet de verboden, die wel op de autosnelweg gelden.

G3

autoweg
Een weg die is aangeduid met bord G3. Parkeerplaatsen, tankstations en bushaltes maken geen deel uit van de autoweg.

busbaan
Een rijbaan waarop het woord BUS of LIJNBUS is aangebracht.

busstrook
Een rijstrook waarop het woord BUS of LIJNBUS is aangebracht.Het woord BUS betekent dat lijnbussen en andere autobussen hiervan gebruik mogen maken. Het woord LIJNBUS betekent dat alleen lijnbussen dit mogen. Taxi's mogen het ook als daarvoor een vergunning is gegeven.

doorgaande rijbaan
Een rijbaan zonder de daarnaast gelegen invoeg- en uitrijstroken.

fietsstrook
Een gedeelte van de rijbaan dat door doorgetrokken of onderbroken strepen is gemarkeerd en waarop afbeeldingen van een fiets zijn aangebracht.

haaietanden
Op het wegdek aangebrachte voorrangsdriehoeken.

rijbaan
Elk voor rijdende voertuigen bestemd weggedeelte, met uitzondering van fietspaden en fiets-/bromfietspaden.

kruispunt
Een kruising of splitsing van wegen.

parkeerhaven of -strook
Een langs de rijbaan gelegen verharding die bestemd is voor stilstaande of geparkeerde voertuigen.

rijstrook
Een gedeelte van de rijbaan dat door doorgetrokken of onderbroken strepen is gemarkeerd en zo breed is dat daar motorvoertuigen op meer dan twee wielen kunnen rijden.

uitrijstrook
Een gedeelte van de weg dat door een blokmarkering is afgescheiden van de doorgaande rijbaan en dat bestemd is voor bestuurders die de doorgaande rijbaan verlaten.

invoegstrook
Een gedeelte van de weg dat door een blokmarkering is afgescheiden van de doorgaande rijbaan en dat bestemd is voor bestuurders die de doorgaande rijbaan willen oprijden.

verdrijvingsvlak
Een gedeelte van de rijbaan waarop schuine strepen zijn aangebracht. Hierop mag niet gereden worden.

vluchthaven of -strook
Een door een doorgetrokken streep van de rijbaan van een autosnelweg of autoweg afgescheiden gedeelte van de weg, dat is bestemd voor gebruik in noodgevallen.

wegen
Alle voor het openbaar verkeer openstaande wegen of paden.
De in deze wegen of paden liggende bruggen en duikers maken
daarvan deel uit, evenals de tot de wegen behorende paden en
bermen of zijkanten.

2.5   Overige begrippen en bepalingen

algemene regel
Iedereen moet zich zo gedragen dat geen gevaar wordt
veroorzaakt of kan worden veroorzaakt en dat het verkeer niet
wordt gehinderd of kan worden gehinderd.

rechtshouden
U bent verplicht om zoveel mogelijk rechts te houden, maar ook
zo veilig mogelijk, rijd daarom op redelijke afstand van trottoir
of berm.

*u moet zich zodanig gedragen dat geen gevaar wordt veroorzaakt
of kan worden veroorzaakt*

handmatig telefoneren
Het is voor bestuurders van motorvoertuigen, bromfietsen en
gehandicaptenvoertuigen verboden tijdens het rijden
handmatig te telefoneren. Handsfree telefoneren is dus
toegestaan, tenzij de bestuurder door afleiding de
voertuigbeheersing niet meer kan waarborgen.

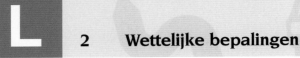

C12

geslotenverklaring
Een verbod om de betrokken weg in te rijden, in te gaan of te gebruiken, bijvoorbeeld om te parkeren.

parkeren
Het laten stilstaan van een voertuig, anders dan gedurende de tijd die nodig is en ook daadwerkelijk gebruikt wordt voor het onmiddellijk in- of uitstappen van passagiers of voor het onmiddellijk laden of lossen van goederen.

voorrang verlenen
Het de betrokken bestuurders in staat stellen, ongehinderd hun weg te vervolgen.

voorrang verlenen houdt in: de betrokken bestuurder ongehinderd zijn weg laten vervolgen

blinden
Bestuurders moeten blinden herkenbaar aan een blindenstok en in het algemeen personen die zich moeilijk voortbewegen, vóór laten gaan.

geen onnodig geluid
Bestuurders van motorvoertuigen mogen met hun voertuig geen onnodig geluid maken. Het 'spelen' met het gaspedaal als u met draaiende motor stilstaat is milieu-onvriendelijk en verboden. Onnodig claxonneren ook.

slepen en gesleept worden

U mag geen ander motorvoertuig slepen, indien de afstand van de achterkant van het trekkende voertuig tot de voorkant van het gesleepte voertuig meer dan 5 m bedraagt.

de afstand tussen het trekkende en het gesleepte voertuig mag niet meer dan 5 m bedragen

uitzicht rondom

U moet een goed uitzicht hebben naar voren en opzij en -al of niet met behulp van de spiegels- ook naar de links en rechts, naast en achter u gelegen weggedeelten.

u moet voordat u gaat rijden de achterruit sneeuwvrij maken

verplichte papieren

U moet de wettelijk verplichte papieren zoals rijbewijs en kentekenbewijs altijd bij u hebben als u gaat rijden.

zorg ervoor dat u alle verplichte papieren kunt tonen in originele uitvoering

motorrijtuigenbelasting

De eigenaar van het voertuig is verplicht de motorrijtuigenbelasting te voldoen. De heffing van de motorrijtuigenbelasting houdt in, dat het niet uitmaakt of dat er met het voertuig wordt gereden of niet.

ongehinderd sturen

U mag niet aan het verkeer deelnemen als u tijdens het sturen wordt gehinderd door lading of een andere omstandigheid, waardoor sturen niet goed mogelijk is.

zó mag u niet aan het verkeer deelnemen: u moet altijd die handelingen kunnen verrichten die van u worden vereist

gebruik autogordels

Bestuurder en passagiers (ook die op de achterbank) moeten altijd gebruik maken van aanwezige autogordels. Personen korter dan 1,50 m. mogen de driepuntsgordel als heupgordel gebruiken.

Kinderen jonger dan 12 jaar met een lichaamslengte kleiner dan 1,50 m. mogen alleen vóór in een motorvoertuig zitten als zij gebruik maken van een voor hen geschikt en voor de voorstoel goedgekeurd kinderbeveiligingsmiddel (babyzitje, kleuterzitje, kindergordel, zittingverhoger).

Als de stoel naast de bestuurder is uitgerust met een airbag, mag op deze stoel om veiligheidsredenen geen naar achteren gericht kinderzitje worden geplaatst.

Als een kind jonger dan 12 jaar, langer is dan 1,50 m, dient het de aanwezige gordel op de normale manier te gebruiken.

Achter in een voertuig gezeten kinderen tussen 3 en 12 jaar, moeten in een hen passend en goedgekeurd kinderbeveiligingsmiddel worden vervoerd, als dat in het voertuig aanwezig is. Is er niet zo'n kinderbeveiligingsmiddel aanwezig, dan moeten ze gebruik maken van eventuele aanwezige autogordels.

Kinderen kleiner dan 1,50 m. mogen achterin de driepuntsgordel als heupgordel dragen. Kinderen tussen 0 en 3 jaar hoeven achterin niet in de gordels, omdat autogordels voor hen ongeschikt en zelfs gevaarlijk kunnen zijn.
Driepuntsgordels mogen nooit als heupgordel worden gebruikt door personen die 1,50 m. of langer zijn.

In een voertuig met meerdere zitplaatsen naast elkaar moet eerst die plaats worden gekozen waarvoor een autogordel beschikbaar is.

w.a.-verzekering

Motorrijtuigen moeten verplicht verzekerd zijn tegen wettelijke aansprakelijkheid. Deze W.A.-verzekering vergoedt de schade, waarvoor iemand volgens het burgerlijk recht aansprakelijk is. Zorg ervoor dat uw W.A.-verzekering niet verloopt, omdat u met een verlopen verzekering niet mag deelnemen aan het verkeer.

2.6 Opsporing en rechtspraak

Wie de regels van een wet overtreedt, pleegt een strafbaar feit. Strafbare feiten worden ingedeeld in twee categorieën:

- overtredingen, bijvoorbeeld rijden door rood licht, foutief parkeren, te hard rijden, etc.;
- misdrijven, bijvoorbeeld rijden onder invloed van teveel alcohol, drugs, medicijnen, het verlaten van de plaats van een ongeval, rijden tijdens ontzegging rijbevoegdheid, joyriding, etc.

Misdrijven zijn ernstige strafbare feiten die soms bestraft worden met gevangenisstraf, terwijl overtredingen in het algemeen worden afgedaan met een geldboete.

2.7 Overtredingen

Wet Mulder (Wet administratiefrechtelijke handhaving verkeersvoorschriften)
Er wordt onderscheid gemaakt tussen verschillende overtredingen. De meeste voorkomende overtredingen zijn over het algemeen de lichte overtredingen, waarbij geen gewonden zijn en waarbij geen schade aan goederen van derden wordt veroorzaakt. De politie maakt dan geen proces-verbaal op, maar een formulier waarop niet gesproken wordt over straf, maar over een Wet-Mulder-gedraging.

Na een geconstateerde overtreding, niet zijnde een Wet-Mulder-gedraging, maakt de opsporingsambtenaar een proces-verbaal op.
In een proces-verbaal staat het strafbare feit omschreven alsmede het tijdstip, de plaats en de omstandigheden waaronder het is gepleegd. Het proces-verbaal wordt opgestuurd naar de officier van justitie.

De officier van justitie zorgt voor vervolging van de persoon die het strafbare feit heeft gepleegd. De officier beoordeelt het in het proces-verbaal omschreven feit en kan dan komen tot een van de volgende beslissingen:

- *seponeren*:
  dit betekent niet tot (verder) vervolgen overgaan;

- *schikking of transactie voorstellen*:
  in dit geval wordt een boete opgelegd;
- *dagvaarden*:
  in dit geval moet de overtreder voor de rechter verschijnen.
  Dit gebeurt als hij weigert zijn boete te betalen of als het
  strafbare feit te ernstig wordt geacht.

2.8 Misdrijven

dood/zwaar lichamelijk letsel door schuld
Het is elke verkeersdeelnemer verboden zich zo te gedragen
dat een aan zijn schuld te wijten verkeersongeval plaatsvindt,
met de dood of zwaar lichamelijk letsel van een ander tot gevolg.

verbod plaats ongeval te verlaten
Het is voor iedereen die bij een verkeersongeval is betrokken
verboden de plaats van het ongeval te verlaten, zonder
bekendmaking van eigen gegevens en gegevens motorrijtuig,
indien dood, letsel of schade het gevolg is. Tevens is het
verboden om iemand in hulpeloze toestand achter te laten.

ongeldigverklaring, invordering, schorsing rijbewijs
Het is verboden een motorrijtuig te besturen indien:
- het rijbewijs ongeldig is verklaard;
- het rijbewijs is ingevorderd en niet is teruggeven;
- de geldigheid van het rijbewijs is geschorst.

Als het rijbewijs ongeldig is verklaard mag u, om weer een
rijbewijs te kunnen krijgen, wel rijles nemen en een rijexamen
afleggen. Als het rijbewijs is ingevorderd of als de geldigheid is
geschorst mag u uitsluitend een motorrijtuig besturen om een
rijproef af te leggen (onderzoek naar uw rijvaardigheid).

ontzegging van de rijbevoegdheid
Als bij rechterlijke uitspraak de rijbevoegdheid voor een
bepaalde periode is ontzegd, mag gedurende die tijd geen enkel
gemotoriseerd voertuig worden bestuurd.
Ook geen bromfiets of snorfiets, brommobiel, landbouwvoertuig
of ander motorvoertuig met beperkte snelheid. U mag tijdens die
periode ook geen rijles nemen en rijexamen doen.

rijden onder invloed

Het is verboden te rijden onder invloed van alcohol, drugs of medicijnen waardoor de rijvaardigheid zodanig wordt verminderd dat betrokken bestuurder niet meer tot behoorlijk besturen in staat is.

joyriding

Het is verboden om zonder toestemming een motorrijtuig van een ander op de weg te gebruiken.

onjuiste inlichtingen

Bij verkrijging van een kentekenbewijs of rijbewijs is het verboden:
- onjuiste opgave te doen;
- onjuiste inlichtingen te verschaffen;
- onjuiste bewijsstukken (paspoort, rijbewijs) te tonen.

onjuist kenteken

Het is verboden om gebruik te maken van een kenteken(plaat) van een ander motorrijtuig.

leesbaarheid kenteken

Het is verboden om op een kentekenplaat een teken aan te brengen, waardoor de leesbaarheid van het kenteken moeilijk wordt gemaakt. Ook het aanbrengen van een vals kenteken is strafbaar.

maak de kentekenplaat sneeuwvrij

onjuist keuringsbewijs

Het is verboden met een motorrijtuig of een aanhangwagen gebruik te maken van een vals keuringsbewijs (behorende bij een ander voertuig).

aansprakelijkheid

Voor veel feiten is alleen de bestuurder van een voertuig aansprakelijk, bijvoorbeeld onder invloed rijden. Voor technische eisen in het algemeen is, naast de bestuurder, ook de eigenaar of houder van het voertuig aansprakelijk.

identiteit bestuurder

De eigenaar van een motorrijtuig is verplicht om binnen 48 uur de bestuurder bekend te maken die ten tijde van het misdrijf in zijn auto heeft gereden.

bevoegdheden opsporingsambtenaar

Een opsporingsambtenaar heeft de bevoegdheid om:
- aanwijzingen/bevelen te geven in verband met de veiligheid van het verkeer;
- een stopteken te geven;
- rijbewijs en kentekenbewijs ter inzage te vragen;
- een rijbewijs in te nemen;
- een alcoholtest te laten uitvoeren;
- een rijverbod op te leggen (max. 24 uur);
- een voertuig te onderzoeken en naar plaats van onderzoek te brengen;
- de brandstof te controleren (douane);
- voertuig weg te slepen en in bewaring te stellen.

de douanebeambte heeft de bevoegdheid te controleren of u de brandstof tankt die is toegestaan

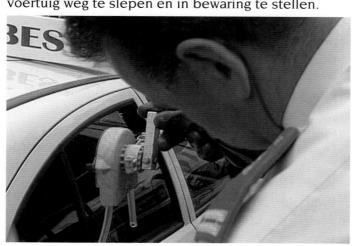

algemene regel

U bent verplicht verkeerstekens op te volgen. Ze kunnen een gebod of een verbod inhouden. Verkeerstekens zijn:

- verkeersborden;
- verkeerslichten;
- verkeerstekens op het wegdek.

3.1 Verkeersborden

E1

E2

werkingsgebied

Meestal gelden verkeersborden voor de gehele breedte van de weg waarlangs zij staan. Alleen de borden met een verbod tot parkeren of stilstaan, gelden uitsluitend voor de kant van de weg waar zij zijn geplaatst. Er kan boven een verkeersbord het woord "zone" worden aangegeven. Het bord geldt dan voor het héle gebied dat als zone wordt aangeduid.

onderborden

Onder verkeersborden kunnen onderborden worden geplaatst. Die onderborden kunnen aangeven wanneer het bord geldt en voor welke groep verkeersdeelnemers wel of juist niet. De symbolen op de onderborden betekenen hetzelfde als in het verkeersbordenregister.

Als er alleen een symbool op het onderbord staat, geldt het bord alleen voor die categorie maar als het woord "uitgezonderd" erbij staat, juist niet.

de éénrichtingsweg is geen éénrichtingsweg voor fietsers en bromfietsers

categorieën verkeersborden
De verkeersborden zijn in 11 categorieën ingedeeld. De categorieën zijn met letters aangegeven en de borden binnen die groepen met cijfers.

De categorieën verkeersborden zijn:

a   snelheidsborden
Deze borden verbieden sneller te rijden of geven het einde aan van die snelheidsbeperking. Ook kunnen ze voor een hele zone een maximumsnelheid aangeven. Er is ook een bord dat alleen maar een adviessnelheid aangeeft.

b   voorrangsborden
Deze borden regelen de voorrang op kruispunten en op sommige afbuigende wegen.
Er zijn voorrangsborden die u verplichten te stoppen en borden die u vragen de situatie voorzichtig te naderen.

c   geslotenverklaringen
Deze borden bepalen wie een weg niet mag inrijden.

d   *rijrichtingsborden*
Deze borden verplichten u de aangegeven richting te volgen.

e   *parkeer- en stilstaanborden*
Deze borden regelen waar u wel en waar u niet mag stilstaan of parkeren.

f   *overige geboden en verboden*
Deze borden vertellen u waar en wie u wel of juist niet mag inhalen, wanneer u tegenliggers voor moet laten gaan of wanneer andere verboden worden opgeheven.

g   *borden ter aanduiding van verkeersregels*
Deze borden duiden een auto(snel)weg aan of een erf, voetpad, fiets/bomfietspad of ruiterpad.

h   *borden die aanduiden dat u de bebouwde kom binnenrijdt of verlaat*

j   *waarschuwingsborden*
Waarschuwingsborden wijzen op dreigend gevaar en dringen er bij u op aan daar rekening mee te houden.
Waarschuwingsborden worden geplaatst, daar waar zelfs een oplettende bestuurder het gevaar niet of niet op tijd opmerkt, doordat er vaak geen gevaar te verwachten is.

k   *bewegwijzeringsborden*
Deze borden geven u informatie over de richting die u moet nemen om een bepaalde plaats te kunnen bereiken en of de route via een autosnelweg, autoweg of provinciale weg loopt.

l   *informatieborden*
Deze borden geven u aan waar en hoeveel rijstroken zijn aangebracht of een rijstrook eindigt of de weg doodloopt, enz.

belangrijk
Bij het zien van verkeerstekens gaat u na:
- voor wie het verkeersteken geldt;
- wat het verkeersteken aanduidt;
- wat u kunt verwachten voorbij het verkeersteken;
- welk rijgedrag bij het verkeersteken past;
- waarvoor het verkeersteken waarschuwt.

3 Verkeerstekens

3.2 Verkeerstekens op het wegdek

doorgetrokken streep

U mag niet over een doorgetrokken streep heen die links van u ligt als de doorgetrokken streep:

- de rijbaan in rijstroken verdeelt;
- de as van de weg markeert.

U mag niet over een doorgetrokken streep heen die rechts van u ligt als de doorgetrokken streep:

- de rijbaan in rijstroken verdeelt;
- een fietsstrook markeert (geldt niet voor snorfietsen).

u mag nu niet over de doorgetrokken streep

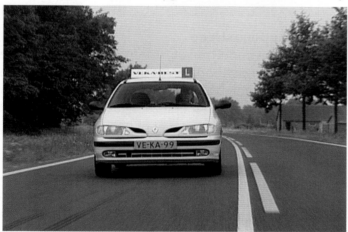

Soms staan voertuigen foutief geparkeerd. Als zo'n verkeerd geparkeerd voertuig u de doorgang verspert, mag u de doorgetrokken streep overschrijden als u daarbij geen gevaar veroorzaakt. Een doorgetrokken streep die de rijbaankant markeert, mag u overschrijden. Bijvoorbeeld om te stoppen bij pech.

onderbroken streep

Als er aan uw kant naast de doorgetrokken streep een onder-broken streep ligt, mag u beide strepen overschrijden, maar dan natuurlijk uitsluitend zolang u het overige verkeer niet in gevaar brengt of hindert.

busbanen en busstroken

Deze mogen alleen gevolgd worden door autobussen en soms alleen maar door lijnbussen.

*nu mag u
beide strepen
overschrijden
als er geen
tegenliggers
naderen*

waarschuwingsstreep

U moet een onderbroken streep beschouwen als een waarschuwingsstreep, als de strepen langer zijn dan de onderbrekingen. Vaak gaan deze strepen over in doorgetrokken strepen. U nadert dan een zeer gevaarlijke situatie bijvoorbeeld een onoverzichtelijke bocht of een helling.

verdrijvingsvlakken

Verdrijvingsvlakken zijn gedeelten van de rijbaan waarop schuine witte strepen liggen. Meestal worden deze vlakken aangebracht om het aantal rijstroken te verminderen.
U mag niet op verdrijvingsvlakken rijden. Let daarop tijdens of voordat u gaat voorsorteren, tijdens het inhalen of wanneer u te vroeg van de invoegstrook de doorgaande rijbaan wilt oprijden.

*u mag niet op
verdrijvings-
vlakken rijden*

3.3 Verkeerslichten

algemeen
Op drukke kruispunten zorgen verkeerslichten voor een vlotte en veilige afwikkeling van het verkeersaanbod. De betekenis van groen en rood licht is ondubbelzinnig duidelijk: rijden of stoppen. De betekenis van geel licht zit daar tussenin, is altijd waarschuwend. Als het gele licht gaat branden, volgt het rode licht na enkele seconden.

geel licht
Bent u het gele licht zo dicht genaderd dat stoppen redelijkerwijs niet meer kan, dan mag u doorrijden. Het gele licht geeft u die ruimte. Als u te hard op de verkeerslichten af rijdt, kunt u niet op tijd stoppen, doordat de stopafstand toeneemt met de snelheid. Hard rijden en verkeerslichten verdragen elkaar niet. Kunt u tijdig stoppen dan moet u ook stoppen en niet het gele licht negeren.

pijl licht
Wilt u bij groen licht, zonder pijl, links afslaan, let dan op tegemoetkomend verkeer. U moet dat voor laten gaan, tenzij de doorgang voor elk verkeerslicht afzonderlijk wordt geregeld. Verkeerslichten met een pijl gelden uitsluitend voor het verkeer dat de richting van die pijl op gaat. Als zo'n licht met pijl groen wordt, hoeft u geen verkeer te verwachten dat u voor moet laten gaan. Voor het verkeer uit de richtingen waarmee u in conflict zou kunnen komen, staat het licht op rood.

het licht met pijl is groen, tegemoetkomend verkeer heeft dan rood licht

Verdubbel uw aandacht als een verkeerslicht met pijl geel wordt en u doorrijdt, omdat u redelijkerwijs niet meer veilig kon stoppen. Als het verkeer waarmee u in conflict kunt komen te vroeg optrekt, wordt het alsnog gevaarlijk voor alle bestuurders.

let op tegenliggers ook al staat het verkeerslicht voor u op groen

als u redelijkerwijs nog veilig kunt stoppen moet u stoppen

u nadert een kruispunt met verkeerslichten

opstellen

Stel u bij verkeerslichten links naast een stilstaande vrachtauto op. Omdat u toch sneller optrekt dan de vrachtauto, is dat nodig om de vlotte doorstroming van het verkeer te bevorderen.

stel u naast de stilstaande vrachtauto op

Wilt u vlak voorbij een kruispunt met verkeerslichten links afslaan, dan neemt u bij het opstellen voor het kruispunt in een vroeg stadium ook de linkerrijstrook voor rechtdoor. Zou u dat niet doen, dan wordt voorsorteren voorbij het kruispunt veel moeilijker.

verkeersaanbod

Sommige verkeerslichten reageren op het verkeersaanbod (in sommige verkeerssituaties uitsluitend op de nadering van lijndienstbussen). De verkeerslichten zien u als het ware aankomen. Een licht dat juist op rood was gesprongen, kan gelijk weer overgaan op groen.

U heeft gauw genoeg door welke verkeerslichten reageren op uw nadering. Reageer op uw beurt alert. Stop niet onnodig en nog belangrijker: wacht niet onnodig.

lichten buiten werking

Verkeerslichten die buiten werking zijn, geven meestal geel knipperlicht. Dat werkt dan als een waarschuwingslicht. Neem de nodige voorzichtigheid in acht.

Er geldt daar dan de voorrangsregeling die met borden is aangegeven. Staan er geen borden en ziet u geen tekens op het wegdek, dan geldt de basis-voorrangsregel.

rechtsaf door rood
Onder de verkeerslichten kunnen onderborden geplaatst zijn, waarop staat dat het rode licht niet geldt voor (brom)fietsers of voor fietsers die rechtsaf willen slaan. Als er staat "rechtsaf voor fietsers vrij" geldt dit alleen voor fietsers en snorfietsers. De (brom/snor)fietsers moeten echter het kruisende verkeer voor laten gaan. Wees er als kruisend verkeer altijd (want u kunt die onderborden niet zien) op bedacht dat er bij groen licht voor u toch nog fietsers en snorfietsers uw weg op kunnen draaien.

tweekleurige verkeerslichten
Tweekleurige verkeerslichten (geel en rood) worden veel toegepast bij spoorwegovergangen, om te voorkomen dat bij een file de overweg wordt geblokkeerd. U treft deze lichten ook steeds vaker aan bij bruggen, als overgangssignaal, omdat dat bij de bruglichten ontbreekt. Bij zebrapaden waarbij het niet nodig is dat de lichten permanent in werking zijn (of juist integendeel wel constant in werking moeten zijn) worden ze ook toegepast. De betekenis van het gele en rode licht is dezelfde als bij de driekleurige verkeerslichten.

geel knipperlicht
U nadert een gevaarlijk punt. Dat moet u (het is niet altijd een kruispunt!) voorzichtig naderen.
Het gele knipperlicht is vaak geplaatst in combinatie met een bord waarop informatie staat over de aard van de gevaarlijke situatie, bijvoorbeeld een naderende of optrekkende tram. Ook kan met een pijl naar links worden aangegeven dat u extra moet opletten als u linksaf slaat.

overweglichten
Bij overwegen betekent:
- wit knipperlicht:
  er nadert geen trein (u kunt dus doorgaan);
- rood knipperlicht:
  stoppen!

bruglichten

Rood licht of rood knipperlicht betekent dat u moet stoppen.
Dit licht wordt vaak in combinatie met de tweekleurige
verkeerslichten geplaatst.

u stopt en zet de
motor af

rijstrooksignalering

* groene pijl: de rijstrook mag worden gevolgd;
* maximumsnelheid: de rijstrook mag worden gevolgd met de
  aangegeven maximumsnelheid;
* rood kruis: de rijstrook mag niet worden gevolgd;
* witte pijl: voorwaarschuwing rood kruis;
* als het woord "BUS" zichtbaar is mag de rijstrook worden
  gebruikt door bestuurders van een lijnbus of een andere
  autobus. Is het woord "LIJNBUS" zichtbaar, dan mag de rijstrook
  alleen worden gebruikt door bestuurders van een lijnbus;
* afbeelding F9: einde van alle op een elektronisch
  signaleringsbord vooraf aangegeven verboden.

einde van alle
vooraf op een
elektronisch
ignaleringsbord
aangegeven
verboden

de aangegeven snelheden zijn maximum snelheden

tram en buslichten
Er zijn ook speciale verkeerslichten voor bussen en trams. Die gelden niet voor u als autobestuurder.
Er zijn dan meestal ook "gewone" verkeerslichten geplaatst en die zijn voor u bedoeld.

3.4 Aanwijzingen

volgorde van belangrijkheid
De basisafspraken in het verkeer zijn de zogenaamde verkeersregels. Deze gelden altijd en overal, behalve als met borden, tekens, verkeerslichten of aanwijzingen van daartoe bevoegde ambtenaren wordt aangegeven dat het verkeer zich anders moet gedragen.
Zo'n verkeersregel is bijvoorbeeld "bestuurders die van rechts komen, hebben voorrang".
Maar wanneer vanwege de verkeersdrukte uw weg tot een voorrangsweg is gemaakt met verkeersborden en/of haaietanden op de weg rechts van u, dan moet u voorrang krijgen. Borden en tekens gaan voor verkeersregels. Maar als in dezelfde situatie een verkeerslicht staat met voor u rood licht, dan moet u weer stoppen, ondanks het gegeven dat uw weg een voorrangsweg is.

Verkeerslichten gaan voor borden en tekens die de voorrang regelen. Maar als, weer in diezelfde situatie, een politieagent u aanwijzingen geeft om door rood te rijden, dan moet u die aanwijzingen opvolgen.

U moet dus de aanwijzingen van de daartoe bevoegde personen altijd opvolgen.
Samengevat is de volgorde van belangrijkheid dus:
1 aanwijzingen;
2 verkeerstekens;
3 verkeersregels.

verkeersbrigadiers
Verkeersbrigadiers die kinderen helpen met oversteken, hebben ook de bevoegdheid om bestuurders te laten stoppen.

begeleider railvoertuig
U bent ook verplicht te stoppen indien door een begeleider van een railvoertuig een stopteken wordt gegeven. Zo'n stopteken kan ook met een rode vlag of een rode lamp worden gegeven.

politie/marechaussee/douane
Als een daartoe bevoegde en als zodanig herkenbare ambtenaar, dat wil zeggen een politie-agent, marechaussee of douane-beambte u aanwijzingen geeft, moet u die opvolgen. Die aanwijzingen kunnen worden gegeven met officieel afgesproken hand- en armgebaren.
Een aanwijzing om te stoppen kan ook worden gegeven met een rode lamp of de tekst STOP, STOP POLITIE of STOP DOUANE op een verlicht transparant scherm op een politie- of douaneauto. U bent dan natuurlijk ook verplicht die aanwijzing op te volgen.

de agent geeft
een algemeen
stopteken

verkeer dat hem
van links en
van rechts
nadert, rijdt
door en het
verkeer dat van
voren en van
achteren nadert,
stopt

de agent geeft
een stopteken
aan het verkeer
dat hem van
achteren nadert

nu moet al het verkeer stoppen, dat de agent van voren nadert

u moet nu door rood rijden en u mag niet links afslaan

u bent ook verplicht alle aanwijzingen tijdens de ademtest op te volgen

4.1 Tegemoetkomend verkeer

rechtshouden

U bent verplicht om zoveel mogelijk rechts te houden, maar ook zo veilig mogelijk, dus op redelijke afstand van trottoir of berm.

Komt u op een smalle weg een auto- of vrachtautobestuurder tegen, dan moeten u en die andere bestuurder zover uitwijken dat u beide geen hinder van elkaar ondervinden.
Bieden de omstandigheden de u tegemoetkomende bestuurder geen uitwijkmogelijkheid, neem dan zijn uitwijkverplichting zo mogelijk over door extra ruim uit te wijken.
Bent u voornemens uit te wijken naar de berm, weet dan zeker dat die berm geschikt is voor uitwijken. Let daarbij ook op de rijbaanverkanting.

U houdt er rekening mee dat de meeste tegenliggers ook niet veilig naar de berm kunnen uitwijken. Door begroeiing kunnen die bestuurders niet goed zien hoe "veilig" die berm is, anders gezegd, hoe geschikt die berm is voor uitwijken.

nader de fietser met lage snelheid, passeer niet rakelings,
stop zonodig

F5

F6

rijbaanversmalling

Bij een rijbaanversmalling regelen meestal de verkeersborden F5-F6 wie eerst mag. Als u in de richting van de rode pijl rijdt, moet u stoppen.
Rijdt u in de richting van de witte pijl, dan moeten de tegemoetkomende bestuurders stoppen. Deze borden gelden alleen voor bestuurders.
Dus wanneer u voetgangers nadert in een nauwe doorgang moet u ze voor laten gaan.

u moet stoppen omdat u in de richting van de rode pijl rijdt

ook de voetgangers moet u nu voor laten gaan

nu mag u doorrijden

Staan bij de versmalling geen verkeerstekens die de doorgang regelen, dan is de ongeschreven regel dat personenauto's bij gelijktijdige nadering vrachtauto's en bussen voor laten gaan.

obstakels
Als u voor een obstakel op uw weggedeelte wilt uitwijken om het voorbij te rijden en er nadert tegemoetkomend verkeer, dan laat u dit tegemoetkomend verkeer eerst voor laten gaan, tenzij de rijbaan breed genoeg is om u en het tegemoetkomend verkeer gelijktijdig door te kunnen laten gaan.

u moet wachten omdat het obstakel zich op uw weggedeelte bevindt

nu mag u doorrijden

C2

éénrichtingsweg

De éénrichtingsweg mag maar van één kant worden ingereden.
Veel éénrichtingsborden gelden niet voor (brom)fietsers. Let
daarop als u wilt voorsorteren.

U mag op een éénrichtingsweg niet achteruit de straat uitrijden.
Wel mag u er achteruit rijden om te parkeren. Er geldt op een
éénrichtingsweg een keerverbod.

deze éénrichtingsweg geldt alleen voor motorvoertuigen op meer dan twee wielen

4.2 Fiets-bromfietspad, bromfiets op de rijbaan, fietsstroken

G11

Het komt vaak voor dat u met bromfietsers de rijbaan moet delen. Als u het bord G11 verplicht fietspad of het bord G12b einde verplicht fiets-/bromfietspad ziet, dan weet u dat bromfietsers de rijbaan moeten volgen.

G12a

Ziet u bord G12a verplicht fiets-/bromfietspad dan mogen de bromfietsers niet de rijbaan volgen.
Als u samen met bromfietsers de rijbaan deelt, bent u als autobestuurder minder kwetsbaar, maar daarom ook degene met de grootste verantwoordelijkheid. Geef bromfietsers de ruimte. Haal ze niet te krap in. Blijf achter de bromfietser als inhalen niet mogelijk of niet veilig is.

bromfietsers mogen de fietsstrook niet gebruiken, ze moeten de rijbaan volgen, houd daar rekening mee

ook nu moeten bromfietsers de rijbaan volgen, pas uw snelheid en rijgedrag daarop aan

risico's

Fietsers en snorfietsers volgen normaal gesproken het verplicht fietspad, maar worden soms naar de rijbaan verwezen.
U moet er op die plaatsen op bedacht zijn dat ze niet zullen afstappen, dat ze naast elkaar zullen blijven rijden en zonder op te letten de rijbaan zullen oprijden.

es erop bedacht (brom)fietsers zonder op te etten vanaf het s/bromfietspad van rechts de ijbaan oprijden

Rijdt u binnen de bebouwde kom zonder vrijliggend fiets/bromfietspad, houd er dan rekening mee, dat fietsers en snorfietsers u rechts mogen inhalen. Bromfietsers mogen u niet rechts inhalen, maar ga er maar vanuit, dat ze dat vaak wel zullen doen.

*waar fietsers de
rijbaan kruisen,
moet u zeer
oplettend rijden*

gedrag bij fietsstroken

Fietsstroken zijn bedoeld voor fietsers en snorfietsers.
Een fietsstrook die gemarkeerd is met een doorgetrokken
streep mag u niet gebruiken. U mag ook niet voorsorteren op
zo'n fietsstrook.

Op een fietsstrook gemarkeerd met een onderbroken streep,
mag u uitsluitend voorsorteren indien dit de doorstroming van
het verkeer bevordert en u er geen fietsers, snorfietsers of
bestuurders van gehandicaptenvoertuigen hindert of in gevaar
brengt.

*fietsstroken eisen uw oplettendheid, vooral omdat fietsers ervan
uitgaan dat ze binnen die stroken beschermd zijn*

Ook op weggedeelten waar u niet kunt of wilt afslaan, eisen fietsstroken oplettendheid van u.
Dit geldt vooral voor fietsstroken gemarkeerd door een doorgetrokken streep.

Fietsers en snorfietsers denken min of meer dat zo'n gemarkeerde strook beschermd gebied is.

gescheiden rijbanen

D2

C2

Als een weg door een middenberm, een bomenrij of een groenvoorziening in twee rijbanen is verdeeld, wordt meestal door borden aangegeven welke rijbaan u moet volgen (bord D2). Bij een brede middenberm wordt vaak ook aangegeven dat het verboden is de andere rijbaan te berijden (bijvoorbeeld met bord C2).
Als er geen borden staan, moet u rechts houden en dus de rechterrijbaan volgen.

fout!, u moet hier de rechterrijbaan volgen

C8

C9

Bestaat een weg uit drie of meer rijbanen, dan is het 't veiligst wanneer voertuigen zonder motor, fietsers en snorfietsers en motorvoertuigen die niet sneller mogen rijden dan 25 km/u, de meest rechtse rijbaan volgen.

Meestal is dit dan een ventweg. Vaak wordt het gebruik door "langzaam" verkeer van de middelste rijbaan verboden door bord C8 of C9.

C5

Het overige verkeer mag zowel op de rechterrijbaan als op de middenbaan rijden. Als u een ventweg of parallelweg in twee richtingen mag inrijden, dan wordt dit aangegeven door bord C5.

dit bord geeft aan dat inrijden in twee richtingen is toegestaan

4.3   Rijden op enkelbaanswegen

Op smalle enkelbaans wegen buiten de bebouwde kom heeft u de neiging, vooral als er tegemoetkomend verkeer nadert, uiterst rechts te gaan rijden. Maar pas op. Vaak veroorzaken scherpe rijbaankanten in combinatie met een lager liggende berm een reëel gevaar. Als de rechterwielen in zo'n lager liggende berm komen, dan verliest u misschien de macht over uw stuur waardoor u van de weg raakt of zelfs over de kop slaat.

de lager liggende berm vormt een reëel gevaar

risico's op enkelbaanswegen

Als u rijdt op een enkelbaansweg met bomen dicht langs de kant, realiseert u zich dat:
- bomen een goed uitzicht op zijwegen ontnemen;
- bochten door de bomen onoverzichtelijk zijn;
- u geen uitwijkmogelijkheid heeft;
- u bestuurders die vanuit een zijweg uw weg op willen rijden niet of te laat ziet en omgekeerd.

rijd op enkelbaans- wegen met bomen dicht langs de rijbaan in alle opzichten aangepast

Rijdt u op wegen waar bomen aan weerszijden met hun takken een tunneleffect oproepen, pas dan uw snelheid aan en ontsteek dimlicht.
Houd er rekening mee dat tegemoetkomende vrachtauto bestuurders vaak niet uiterst rechts kunnen rijden.
In het najaar is er een verhoogd slipgevaar door natte bladeren en in de winter is het er langer glad, omdat de weg in de schaduw ligt. Behalve 's winters zijn tegenliggers er slecht zichtbaar.

Als u rijdt buiten de bebouwde kom op een enkelbaansweg met bomen dicht langs de kant en de zon breekt door, dan bent u er op bedacht dat:
- andere bestuurders moeilijker waarneembaar zijn door het flitsende licht tussen de bomen;
- afstanden moeilijker zijn in te schatten;
- tegenliggers slechter zichtbaar zijn;
- uzelf moeilijker waarneembaar bent.

Rijdt u in landelijke gebieden, stem dan vooral in de zomerperiode uw rijgedrag af op:

- druk landbouwverkeer;
- vervuilde rijbanen;
- veel fietsers op de rijbaan;
- ruiters op de rijbaan.

Als bestuurder moet u in veel meer situaties extra alert zijn. We noemen er een aantal:

- in en nabij S-bochten;
- daar waar fietsers en bromfietsers de weg kunnen kruisen;

- daar waar ruiters de weg kunnen kruisen;
- op wegen met een breedtebeperking;
- bij rijbaanversmallingen;
- op plaatsen waar bromfietsers op de rijbaan moeten (gaan) rijden;
- op plaatsen waar fietsers en snorfietsers naar de rijbaan worden verwezen;
- in de omgeving van een school of speeltuin;
- op wegen met een slecht wegdek;
- op wegen met een gevaarlijke daling;
- op weggedeelten met sterke zijwind;
- op weggedeelten met een verhoogd slipgevaar;
- waar kinderen op het trottoir spelen;
- op smalle wegen met links en rechts veel geparkeerde auto's;
- op afritten van autosnelwegen.

u rijdt extra alert op wegen met links en rechts veel geparkeerde auto's

waar bromfietsers naar de rijbaan worden verwezen rijdt u ook extra alert

4.4 Bochten

algemeen
Altijd rechtdoor betekent niet altijd recht vooruit. Dat weet u ook wel, maar verwerkt u het ook in uw rijgedrag? Weet u wat te doen als u een bocht nadert en er veilig doorheen wilt? Stuurmanskunst en snelheidsbeheersing zijn bepalend voor het veilig nemen van een bocht.

Te snel rijden levert reëel gevaar op, doordat u de controle over uw voertuig kunt verliezen. Is de bocht scherp of volgen er kort achter elkaar meerdere bochten, dan worden bestuurders daarvoor vaak gewaarschuwd door een bord.

waarschuwing voor meerdere scherpe bochten kort achter elkaar; pas op tijd uw snelheid aan want corrigeren in de bocht is nauwelijks haalbaar

beoordeel de bocht
Vorm daarom steeds tijdig een beeld van het verloop van de bocht en kies op tijd de juiste versnelling en pas uw snelheid aan. Beoordeel anticiperend het bochtverloop en de rijbaanbreedte.

De strepen op het wegdek helpen u hierbij. Beoordeel ook tijdig toestand en aard van het wegdek en de wegverkanting voor het ingaan van een bocht.
Beoordeel tijdig het zicht in de bocht. Observeer het tegemoetkomend verkeer en merk vooral langzaam rijdende weggebruikers vóór u tijdig op.

Wees altijd bedacht op een langzaam rijdende voorligger of een langzaam rijdende file vlak na een onoverzichtelijke bocht. Als u met beheerste snelheid rijdt en rekening houdt met de beperkingen van uw voertuig (bijvoorbeeld door lading) is het niet moeilijk de juiste positie in de bocht aan te houden.

wees bedacht op een langzaam rijdende voorligger direct na de bocht

bochtspiraal

Als u tijdig uw snelheid aanpast, de juiste versnelling kiest en goed rechts houdt, kunt u op tijd inschatten hoe scherp de bocht is, hoe goed het uitzicht is en of u het verkeer dat voor u zit veilig kunt inhalen.

Wat sommige bochten extra gevaarlijk maakt, is hun zogenaamde bochtspiraal. De curve van de bocht blijft niet constant, maar kromt steeds scherper naar binnen als een spiraal. Pas tijdig uw snelheid aan, kies tijdig de juiste versnelling, anders is de kans groot dat u de bocht uitvliegt.

de bochtspiraal maakt de bocht steeds scherper; pas uw snelheid tijdig aan

4.5   Rijden op dijkwegen

Een type weg waar we in een rivierengebied vaak op moeten
rijden is de dijkweg. Dijkwegen hebben vervelende kenmerken:

- ze zijn bochtig en minder overzichtelijk dan ogenschijnlijk lijkt;
- ze hebben omhoog komende in- en uitritten en zijwegen;
- ze hebben geen of een slechte wegbelijning;
- ze hebben vaak een slecht of een vervuild wegdek;
- ze hebben smalle rijbanen;
- ze hebben schuin aflopende bermen;
- ze hebben vaak een speciale wegverkanting.

Verkeerstechnisch leggen dijkwegen u beperkingen op:

- inhalen van motorvoertuigen is er vaak onmogelijk. Als u toch
  inhaalt, dient dit extra voorzichtig te gebeuren;
- voertuigen vanuit zijweggetjes komen schuin omhoog de weg
  op en hebben vaak slecht zicht op die weg;
- het verloop van een dijkweg is moeilijk vast te stellen, vooral
  bij bebouwing, zichtbelemmerende bomen of struiken;
- de vluchtmogelijkheden op dijkwegen zijn zeer beperkt. De
  bermen zijn er niet voor geschikt.

4.6   Rijden in de bergen

Rijden in Nederland is veelal beperkt tot het rijden op vlakke
wegen. Die paar heuvels die we rijk zijn kunnen wij misschien
wel "bergen" noemen, maar vergeleken met wat u in Duitsland,
Zwitserland en zelfs België tegenkomt, stellen ze weinig voor.

*mist in de
bergen is
levensgevaarlijk*

Het rijden in de bergen vergt enige aanpassing en daar doet u langzaam ervaring in op:

- vermijd het rijden in een te hoge versnelling. De motor kan beter meer toeren maken dan te worden afgewurgd. Te weinig toeren maken jaagt de motortemperatuur flink op, verergert de slijtage en vergroot de kans op motorschade.
  Bij een goed toerental zal de olie veel beter rondgepompt worden, met als gevolg een betere koeling en minder slijtage. Het is vanzelfsprekend dat juist onder deze omstandigheden de motor van uw auto technisch in perfecte staat moet zijn;
- neem afdalingen als regel in dezelfde versnelling als de beklimmingen. Maak gebruik van de remwerking van de motor;
- voorzie en volg het verloop van de weg zo goed mogelijk, zodat u weet wat u te wachten staat. Snelheid aanpassen, vooral tijdens het afdalen;
- bekijk het wegdek, let op steenslag, water dat van de bergen stroomt, kuilen enz.;
- klimmend verkeer moet voorrang krijgen van dalend verkeer;
- haal uitsluitend zeer voorzichtig in. Op stijgende wegen kost zo'n manoeuvre veel meer tijd en ruimte dan op vlakke wegen;
- let op de weersgesteldheid. Als het in de bergen regent, dan komt het water met bakken de helling af, waardoor het wegdek niet te vertrouwen is. Modder en plassen maken kuilen en zijkanten slechter zichtbaar;
- mist in de bergen is levensgevaarlijk en dwingt u te stoppen of vrijwel stapvoets te rijden.

4.7   Rijden op autowegen en autosnelwegen

G3

G4

autowegen
Autowegen bestaan vaak uit één rijbaan, met tegemoetkomend verkeer. Maar er bestaan ook autowegen met gescheiden rijbanen. Of een weg een autoweg is of niet, kunt u in feite alleen zien aan het bord "autoweg". Behalve tegemoetkomend verkeer op dezelfde rijbaan zijn het ook de gelijkvloerse kruispunten die een autoweg van een autosnelweg doen verschillen.
Verder heeft een autoweg meestal korte invoegstroken en geen vluchtstroken. Op autowegen mogen alleen motorvoertuigen komen die tenminste 50 km/u kunnen en mogen rijden.

Dit betekent dus dat landbouwvoertuigen (tractoren, e.d) en brommobielen niet op een autoweg mogen rijden. De maximumsnelheid op autowegen buiten de bebouwde kom is 100 km/u.

autoweg met afwijkende maximum- snelheid

autosnelwegen

G1

G2

Autosnelwegen hebben altijd gescheiden rijbanen, zijn standaard uitgerust met vluchtstroken en elke rijbaan is in twee of meer rijstroken verdeeld. Autosnelwegen worden aangeduid met het bord "autosnelweg". Als er meer dan drie rijstroken zijn, is er behalve rechts van de rijbaan vaak ook links een vluchtstrook.
Op een autosnelweg mogen alleen motorvoertuigen rijden die ten minste 60 km/u kunnen en mogen rijden.

maximumsnelheid

De maximumsnelheid op autosnelwegen is 120 km/u voor auto's en motoren. Autowegen en autosnelwegen verschillen dus op bepaalde punten nogal van elkaar. In het volgende schema worden die verschillen naast elkaar gezet.

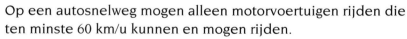

	autoweg	*autosnelweg*
bord	*autoweg*	*autosnelweg*
gescheiden rijbanen	*soms*	*ja*
vluchtstroken	*zelden*	*bijna altijd*
alleen toegestaan voor motorvoertuigen	*die tenminste 50 km/u kunnen en mogen rijden*	*die tenminste 60 km/u kunnen en mogen rijden*
gelijkvloerse kruisingen	*ja*	*nee*
invoegstroken	*niet of vaak kort*	*meestal lang*
maximum snelheid	*100 km/u*	*120 km/u*

verboden

Op autowegen en autosnelwegen is het verboden:

- achteruit te rijden;
- te keren;
- voertuigen op de rijbaan te laten stilstaan;
- op de vluchtstrook of vluchthaven of in de berm te rijden, te lopen of een voertuig tot stilstand te brengen (tenzij in geval van een noodsituatie);
- voor vrachtauto's en voertuigen met aanhangwagen, die samen langer zijn dan 7 meter, om de derde en volgende rijstroken te volgen (tenzij dat voor voorsorteren nodig is);
- als voetganger de vluchtstrook, vluchthaven of de berm te gebruiken behalve in een noodsituatie.

als uw 'combinatie' langer is dan 7 meter mag u niet de uiterst linkerrijstrook volgen

fout, u moet stil gaan staan bijna aan he einde op de vluchthaven van een autoweg

in- en uitvoegen, weven, ritsen, van rijstrook wisselen

Hoe u zelf het beste veilig in en uitvoegt, van rijstrook wisselt, moet weven en ritst op autowegen en autosnelwegen behandelen we uitvoerig in les 9, Rijmanoeuvres.

welke rijstrook

Waar u de beschikking heeft over drie rijstroken gebruikt u zoveel mogelijk de rechterrijstrook. De middenstrook gebruikt u alleen als op de rechterrijstrook verkeer rijdt, dat u voldoende vlot kunt inhalen of als u in een later stadium wilt voorsorteren om linksaf te slaan.

Maar ook op wegen met drie rijstroken is blijven rijden op de middenstrook een slechte gewoonte. Op de middenstrook blijven rijden, terwijl er ruimte is op de rechterrijstrook, lokt ergernis en gevaarlijke inhaalmanoeuvres uit.

op de middenstrook blijven rijden is een slechte gewoonte

Blijf niet onnodig links rijden. Veel bestuurders zullen zich ook hier in hoge mate aan ergeren.

Op plaatsen waar andere bestuurders via de invoegstrook de doorgaande rijbaan oprijden, rijdt u vaak op de rechterrijstrook. Stel dan zo gauw mogelijk vast of de bestuurders op die invoegstrook invoegmogelijkheden hebben. Ontbreken die, wijk dan, als het veilig kan, naar links uit.

gebruik spitsstrook

Op drukke autosnelwegen waar tijdens de spitsuren altijd files ontstaan, kunt u een spitsstrook aantreffen. Spitsstroken zijn van oorsprong vluchtstroken die geschikt zijn gemaakt voor het gebruik als rijstrook. Zoals de naam al zegt, mag deze extra rijstrook alleen worden bereden tijdens de spitsuren.

Door elektronische rijstrooksignalering wordt aangegeven of de spitsstrook wel (groene pijl) of niet (rood kruis) mag worden gebruikt.

Een witte pijl geldt als voorwaarschuwing voor een rood kruis en geeft aan dat u de spitsstrook moet vrijmaken. U moet dan weer invoegen op de normale rechterrijstrook.
Het gebruik van de spitsstrook kan ook worden geregeld door een drietal borden:

1. *spitsstrook*   2. *spitsstrook*   3. *spitsstrook*
   geopend   *vrijmaken*   *gesloten*

Bord 3 heeft de betekenis van een verbodsbord. U mag de spitsstrook dan niet meer gebruiken.

Als u op een spitsstrook rijdt moet u er rekening mee houden dat er geen vluchtstrook is. Soms zijn er op ruime afstand van elkaar enkele kleine vluchthavens. Deze zijn alleen bestemd voor echte noodgevallen.
In de perioden dat de spitsstrook niet mag worden gebruikt, fungeert hij weer gewoon als vluchtstrook.

wegwerkzaamheden
Op autosnelwegen worden werkzaamheden aan de weg vaak al 2 kilometer van tevoren aangegeven. Verminder op tijd snelheid, haal zelf de laatste km niet meer in en laat anderen veilig invoegen.
Daar waar wegwerkzaamheden plaatsvinden, wordt u vaak naar een andere rijstrook gedirigeerd. U moet in zo'n situatie bedacht zijn op een plotseling remmende voorligger, op wegwerkers vlak langs de rijstrook, op plotseling overstekende wegwerkers en op intensief bouwverkeer.

tijdelijke strepen
Oranje of gele strepen op het wegdek hebben een tijdelijk karakter. Dat maakt ze niet minder rechtsgeldig. Respecteer wat ze te zeggen hebben. De tijdelijke rijstrook is meestal smaller dan de oorspronkelijke. U kunt daardoor gemakkelijk in de berm raken en de controle over uw voertuig verliezen.
Let vooral ook op de lagere maximumsnelheid, want die wordt gemakkelijk overschreden.

In die situaties rijdt u met de linkerwielen dicht tegen of op de streep, om te voorkomen dat u van de weg raakt. Wat die situatie extra gevaarlijk maakt, is het ontbreken van een vluchtstrook.

passeer de wegwerkers met geringe snelheid, geef zo nodig een geluidssignaal

u verliest de controle over uw voertuig als de rechterwielen door de lager liggende berm gaan

u verliest de controle over uw voertuig als u met een te hoge snelheid rijdt

4.8   Bewegwijzering

beslissingswegwijzers

Als u weet waar u heen wilt rijden en welke weg u moet volgen, is er in het algemeen geen probleem. Komt u echter in onbekend gebied, dan moet u letten op beslissingsborden, voorwegwijzers, voorsorteerborden, omleidingsborden en wegwijzers.

Dit betekent dat u niet alleen oog moet hebben voor het verkeer maar ook nog moet zoeken naar waar u naar toe moet. In veel situaties leidt dit ertoe dat u gevaarlijke situaties veroorzaakt wanneer u zomaar naar links gaat, omdat u pas laat ziet dat u die weg moet inrijden of die afrit moet hebben.

In een gebied met een dicht netwerk van autosnelwegen is het aan te bevelen de nummers van de autosnelwegen die u moet volgen van te voren te noteren.

splitsing autosnelwegen

Als een autosnelweg gesplitst wordt in twee autosnelwegen wordt dat door het groen-wit splitsingsbord aangegeven. De weg links en rechts van het bord is dan een autosnelweg.

de weg links en rechts is een autosnelweg

kaartlezen

Om zoeken en het daardoor maken van fouten te voorkomen, is het nodig u voor te bereiden op de rit. Gebruik daarvoor een wegenkaart en kijk welke weg u moet nemen.

Uiteraard moet u zo'n kaart niet onder het rijden proberen te lezen. Dat lukt toch niet en verder heeft u dan helemaal geen zicht meer op het verkeer, hetgeen tot ernstige ongevallen kan leiden. U moet vooraf thuis de kaart goed bestuderen, óf u doet dat wanneer u geparkeerd staat óf u laat een passagier kaartlezen.

voorsorteerstroken op het wegdek
Om u te helpen de juiste rijstrook te kiezen, zijn op het wegdek vaak voorsorteerstroken aangebracht en zijn ook op autosnelwegen boven de weg beslissingsborden aangebracht met pijlen. Volg uw reisdoel en ga op de aangegeven rijstrook rijden. Let er wel op dat u bij het veranderen van rijstrook andere bestuurders voor moet laten gaan.

K2

symbolen
Behalve plaatsnamen op beslissingsborden staan er vaak ook symbolen die aangeven hoe het kruispunt er uit ziet, welke richting er volgt. Bijvoorbeeld naar een vliegveld, een veerpont, een restaurant, een benzinepomp of parkeerplaats enz.. Deze symbolen zijn over het algemeen wel duidelijk.

schematische vorm van kruispunt
Door schematisch de vorm van het kruispunt op voorwegwijzers weer te geven, wordt duidelijk gemaakt wat voor soort kruispunt u nadert en hoe u moet rijden om een bepaalde richting in te gaan. Ook rotondes worden op die manier aangegeven.

afslag gemist
Als u een afslag gemist heeft of de weg die u wilt inrijden voorbij bent gereden, rij dan door en neem de volgende afslag.

soorten wegen
Op beslissingswegwijzers staan altijd de routenummers vermeld waaruit u kunt afleiden wat voor soort weg u gaat volgen. We kennen drie soorten wegen:
1   E-wegen:
Dit zijn Europese autosnelwegen. De nummering van deze wegen is internationaal vastgelegd. Zo ontstaan er in Europa routes van E-wegen. De nummering staat op een groen veld, bijvoorbeeld E35.

2   A-wegen:
Autosnelwegen in Nederland. De nummering staat op een rood
veld. De A-wegen zijn vaak ook E-weg, bijvoorbeeld A12 is
tevens E35.

*de A67 is hier
tevens een
Europese
autosnelweg; de
aanduiding
E34 geeft dit
aan*

3   N-wegen:
Dit zijn hoofdverkeerswegen die geen autosnelweg zijn. De
nummering staat op een geel veld, bijvoorbeeld N30 of N224.

5.1 Rotondes

D1

klassieke rotonde

Een rotonde is eigenlijk een ronde éénrichtingsweg. U moet daar altijd rechts omheen rijden. Op de toeleidende weg is het bord rotonde (D1) geplaatst. Vlak voor de rotonde mag u op de toeleidende weg al links gaan rijden als dat nodig is om voor te sorteren.

links en rechts inhalen

U mag vlak voor en op een rotonde zowel links als rechts rijden, omdat bijna iedereen die op een rotonde rijdt of een rotonde nadert, eigenlijk aan het voorsorteren is. Daarom mag er vlak voor of op een rotonde ook rechts en links ingehaald worden.

vlak voor en op een rotonde mag u rechts en links inhalen

het is vaak onverstandig om nù rechts in te halen, u heeft vaak geen goed uitzicht naar links

pijlen volgen

Op veel grote rotondes zijn in de rijstroken pijlen aangebracht. De pijlen geven dan aan hoe u moet voorsorteren.

voorrang

Als een rotonde niet met voorrangsborden of met verkeerslichten is geregeld, is het een gewoon kruispunt en moeten bestuurders die op de rotonde rijden, aan alle bestuurders die van rechts komen voorrang verlenen.

nu moet u voorrang krijgen

afslaan
Als u de rotonde wilt verlaten -en dat gebeurt altijd rechts- dan moet u het verkeer dat de rotonde volgt voor laten gaan. Dat geldt ook voor fietsers, snorfietsers en voetgangers voor wie vaak een apart pad rond de rotonde is aangelegd.

rechtsaf
Als algemene regel geldt dat u, wanneer u bij de eerste zijweg de rotonde wilt verlaten, al op de toeleidende weg rechts blijft rijden en richting aangeeft.

halfrond
Als u bij de tweede zijweg de rotonde wilt verlaten en dus eigenlijk rechtdoor gaat, rijdt u in principe op de toeleidende weg op de middenstrook. Bij slechts twee rijstroken blijft u op de rechterstrook rijden.

Als u de eerste zijweg bent gepasseerd en indien nodig voorrang hebt verleend, geeft u richting aan naar rechts en gaat u ook rechts rijden of blijft u rechts rijden.

driekwart rond
Als u bij de derde zijweg de rotonde wilt verlaten ofwel de rotonde driekwart rond wilt, dan geeft u op de toeleidende weg richting aan naar links en gaat u links rijden.
Op de rotonde schakelt u de richtingaanwijzer uit. Zodra u de tweede zijweg bent gepasseerd, gaat u als de weg vrij is naar rechts, nadat u richting hebt aangegeven.

kijkgedrag
U komt op een rotonde eigenlijk ogen tekort. U moet immers kijken welke richting u uit wilt, maar ook moet u kijken naar bestuurders waaraan u voorrang moet verlenen. Wanneer u daardoor uw voorligger die gestopt is, te laat opmerkt, dan is een ongeval onvermijdelijk.

Let daarom altijd goed op uw voorligger. Omdat u op een rotonde links en rechts kan worden ingehaald, is het nodig om bij het wisselen van rijstrook de spiegels goed te gebruiken en ook om goed over uw schouder te kijken of er zich naast u plotseling een voertuig bevindt.

kijk ook over uw schouder als u naar rechts gaat voorsorteren

Voorrangsrotonde

afwijkend van uitvoering
Er bestaan steeds meer kleine rotondes die voorrangsrotonde worden genoemd. Het zijn rotondes waar bestuurders op de rotonde voorrang hebben op bestuurders die de rotonde naderen.

J9

Op de weg naar een voorrangsrotonde staat meestal het waarschuwingsbord rotonde (J9) geplaatst.
Meestal hebben die rotondes slechts één rijstrook, met daar omheen een fietsstrook en/of voetpad. De voorrang wordt geregeld met verkeersborden en op de rotonde staat tegenover elke toeleidende weg een verkeersbord dat een verplichte rijrichting aangeeft.

Vaak zijn die rotondes nogal krap uitgevoerd. Rijd daar dus langzaam. Bij nadering van dergelijke rotondes hoeft u meestal geen richting aan te geven, tenzij u het bij de eerste weg weer wilt verlaten. Als de situatie verlangt dat u wel richting aangeeft, doe dat dan ook. Geef in elk geval richting aan wanneer u de rotonde wilt verlaten. U moet fietsers en snorfietsers op de fietsstrook die de rotonde blijven volgen, voor laten gaan.

Als u een voorrangsrotonde met een suggestie-fietsstrook nadert en u wilt er rechtsafslaan, mag u op de suggestie-fietsstrook voorsorteren, tenzij u daar moet stoppen omdat u voorrang moet verlenen.
Het mag ook niet als u daardoor fietsers en snorfietsers onnodig hindert of in gevaar brengt.

op een rotonde die niet met voorrangsborden is geregeld, moet u aan alle bestuurders die de rotonde op willen rijden voorrang verlenen

Vaak wordt op fiets/bromfietspaden rond rotondes door haaietanden aangegeven dat (brom)fietsers voorrang moeten verlenen aan bestuurders die een rotonde verlaten. Deze afwijking van de algemene regel wordt vooral toegepast bij rotondes buiten de bebouwde kom in het belang van de eigen veiligheid van (brom)fietsers.

uitzondering! de haaietanden vertellen de bromfietser dat hij voorrang moet verlenen

laat tijdig zien waar u naar toe gaat

moet de fietser voor laten gaan

ook moet u de voetganger voor laten gaan

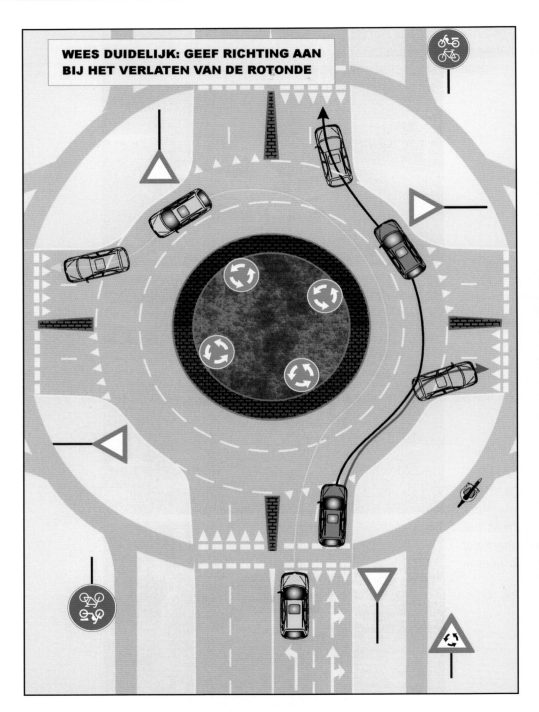

- de ononderbroken rode lijn staat voor kwart rond;
- de ononderbroken zwarte lijn staat voor half rond;
- de ononderbroken gele lijn staat voor drie-kwart rond.

5.2   In- en uitrit

verlaagde trottoirband
Een in- of uitrit herkent u vaak aan het verlaagd trottoir (of een verlaagde trottoirband) dat grenst aan de kruisende weg en overgestoken moet worden bij het in- en uitrijden. Wegen van een parkeerplaats die zonder verlaagd trottoir of verlaagde trottoirband aan een gewone weg grenzen zijn geen uitritten. U moet bij het inrijden van een inrit- en (vooral) bij het verlaten van een uitrit álle weggebruikers (dus ook voetgangers) voor laten gaan.

links gelegen inrit in
Als u linksaf een inrit wilt inrijden, sorteert u binnen de bebouwde kom gewoon tegen de wegas voor. Buiten de bebouwde kom mag dat ook, maar is het soms wel gevaarlijk. Vooral op doorgaande provinciale wegen waar vaak snel gereden wordt, kunt u beter maar niet voorsorteren en/of stil gaan staan om tegenliggers voor te laten gaan. Zeker niet vlak na een bocht.

u mag de links gelegen inrit in want doorgetrokken strepen die aangebracht zijn om de rijbaankanten te markeren, mag u overschrijden

rechts gelegen inrit in
Als u rechtsaf een inrit wilt inrijden, moet u -eerder dan bij gewoon rechtsaf slaan- het achteropkomend verkeer op uw manoeuvre attent maken.
Wie achter u rijdt, verwacht misschien niet dat u plotseling een inrit wilt inrijden.

Geef tijdig richting aan en verlaag uw snelheid. Soms is het verstandig om eerst met uw rempedaal een remsignaal te geven ter waarschuwing dat u een inrit wilt inrijden, in plaats van de verder op gelegen zijweg.

5.3   Erf

stapvoets rijden
Een erf is een heel bijzonder weggedeelte, afgebakend met borden. Het is gewoon een openbare weg, maar er gelden wel bijzondere regels. Ook auto's moeten binnen een erf stapvoets rijden. Hoeveel dit precies is staat nergens, maar in de praktijk komt het neer op zo'n 15 km/u. Sneller rijden is onverantwoord, want er kan plotseling een kind de straat op rennen, er kunnen allerlei obstakels op straat staan, enz.

stapvoets rijden is hier de boodschap

parkeren
Binnen een erf mag u niet overal parkeren. Dat mag alleen op eigen terrein (bijvoorbeeld onder een carport) of op daarvoor bestemde weggedeelten, die met een P in het wegdek of met een bord zijn aangegeven.

erf verlaten
Meestal is de weg waarover u een erf verlaat een uitrit. Of dat zo is, kunt u zien aan het verlaagd trottoir (of een verlaagde trottoirband) dat grenst aan de kruisende weg.

U moet dan net als bij elke uitrit iedereen daarbuiten voor laten gaan, óók voetgangers die van rechts of links komen.

bij het verlaten van een erf moet u iedereen daarbuiten voor laten gaan

u moet ook de afbuigende auto voor laten gaan

uitgang gelijkwaardig kruispunt
De uitgang van een erf kan ook op enige afstand (± 20 m) van de doorgaande weg liggen.
De aansluiting op die doorgaande weg eindigt dan in een gelijkwaardig kruispunt, tenzij een voorrangsbord is geplaatst.

hier ligt een gelijkwaardig kruispunt

5.4 30 km-zone

defensief rijden

Ook in een 30 km-zone moet u er vanuit gaan, dat overal voetgangers lopen, met veel fietsers en dat kinderen overal spelen. Vooral ook in de 30 km-zone is het de bedoeling dat u defensief rijdt en de maximumsnelheid van 30 km/u respecteert.

uitrit

30 km-zones verlaat u vaak via een aflopend trottoir. Ook dan moet u, net als bij elke uitrit, iedereen daarbuiten voor laten gaan dus ook voetgangers.

het is nu rustig, maar houd hier niettemin altijd rekening met veel fietsers en spelende kinderen

5.5   Voetgangersoversteekplaats (zebrapad)

verplichting
U moet voetgangers en bestuurders van een
gehandicaptenvoertuig die op een zebrapad oversteken of
duidelijk op het punt staan om over te steken voor laten gaan.

*stoppen
verplicht!
het is duidelijk
dat de
voetganger
van de
oversteekplaats
gebruik wil
maken*

observeer
Uit de gedragingen van voetgangers vlakbij een zebrapad kunt
u afleiden of ze van plan zijn over te steken. Het gedrag van
andere bestuurders kan die observatie nog bevestigen.

Steekt er een fietser een zebrapad over reageer dan niet
geïrriteerd, maar laat de fietser dan ongehinderd oversteken.

Als u aan ziet komen dat u moet stoppen voor een zebrapad,
vermindert u tijdig snelheid en remt u geleidelijk af.
Daardoor:
- voorkomt u een kop-staartbotsing;
- laat u de voetgangers niet schrikken;
- motiveert u (op enkelbaanswegen zonder rijstroken) gelijktijdig
  naderende tegenliggers ook tijdig te stoppen.

zebrapad vrijhouden
Als u in een file rijdt die tot stilstand komt en voor u ligt een
zebrapad, laat dan het zebrapad vrij.

niet inhalen

Haal nooit in vóór een zebrapad. U heeft tijdens het inhalen geen goed uitzicht op voetgangers die op het punt staan over te steken en die overstekende voetgangers kan u niet goed zien. Als er méér rijstroken in één richting liggen, mag u wel stoppen naast een voertuig dat ook voor het zebrapad stil staat.

u houdt vooral rekening met het plotseling te voorschijn komen van kleine kinderen

5.6   Bushalte, tramhalte

L3

bus voor laten gaan

Als de bushalte binnen de bebouwde kom ligt, moet u de bus die aangeeft te willen wegrijden voor laten gaan. Buiten de bebouwde kom hoeft u dat dus niet. Alle autobussen, dus ook touringcars mogen gebruik maken van die voorrangspositie. Laat die bestuurders ook voorgaan als u ze van voren nadert en ziet dat ze veel ruimte nodig hebben om van de halte weg te rijden.

binnen de bebouwde kom moet u de bus die aangeeft te willen wegrijden van de halte, vóór laten gaan

in- en uitstappende passagiers

Geeft de bus niet aan dat hij wil wegrijden, passeer de bus dan altijd met aangepaste snelheid en houd bij het passeren zoveel zijdelingse afstand dat u toestromende of uitgestapte passagiers niet in gevaar brengt. U moet er op bedacht zijn dat de passagiers de naderende bestuurders niet goed observeren.

Ook een bus die aan de overkant stopt of stilstaat op een enkelbaansweg met verkeer in twee richtingen, passeert u met aangepaste snelheid.

een bijzonder gevaarlijke situatie!, u passeert de stilstaande bus stapvoets

risico's

Ziet u een bus bij een halte stilstaan, houd er dan rekening mee:

- dat uitgestapte personen voor of achter de bus plotseling de weg oversteken;
- dat personen gehaast de weg oversteken om de bus nog te halen;
- dat de bus ook meteen wegrijdt op het moment dat de bestuurder richting aangeeft.

tramhalte

Nadert u een stilstaande tram op een plaats zonder vluchtheuvel, laat dan de passagiers die komen aanlopen of net zijn uitgestapt veilig de rijbaan oversteken.

RENAULT

Relaxed op reis

Maak kans op je volledige lesgeld retour!

Vrijheid, bewegingsruimte, onafhankelijkheid! Nog even en je hebt het roze papiertje in handen! Renault en VekaBest helpen je op weg. Ga naar www.wetenwinnenwegrijden.nl

Weten

Alles wat je moet weten om zo snel en efficiënt mogelijk je rijbewijs te halen. Plus leuke en nuttige tips, een theorie-proefexamen én rijervaringen van bekende Clio Cup-racers.

Winnen

Vul de enquête in, maak kans op de maandprijs en op het terugwinnen van je rijlesgeld! Als je je rijbewijs hebt gehaald, krijg je altijd een toepasselijk cadeau bij de Renault-dealer.

Wegrijden met Renault

En dan op pad in je eerste eigen auto? Een Renault-occasion bijvoorbeeld met een aantrekkelijke financiering. Bereken je mogelijkheden en laat je adviseren.

naar je rijbewijs

Renault Financial Services

Hoe betaal je je eerste auto na al die dure rijlessen?

Nog even goed je best doen op de theorie en wie weet, haal je straks in één keer je felbegeerde rijbewijs. En dan de weg op. Maar wie betaalt je eerste auto? Mochten er geen persoonlijke geldschieters voor handen zijn, dan heeft Renault Financial Services een mooie deal voor je: Renault New Deal. Met Renault New Deal kun je voor een laag maar reëel maandbedrag elke twee of drie jaar in een nieuwe Renault rijden. Wie wil dat nu niet? Met Renault New Deal rij je een Renault Twingo vanaf € 155,- per maand en een Renault Clio al vanaf € 202,- per maand.

Wil je elke twee of drie jaar voor een laag maandbedrag in een nieuwe Renault rijden? En wil je je geen zorgen maken over de kosten van het onderhoud en de inruilwaarde over twee of drie jaar? Ga dan naar de Renault-dealer bij jou in de buurt. ontdekken dat Renault New Deal ook voor jou dé manie zorgeloos en voordelig in een nieuwe Renault te kunnen

Voorbeeld	Verkoopprijs incl. rijklaar maken	Aanbetaling	Kredietsom	Looptijd in mnd.	Effectieve rente op jaarbasis	Km per jaar (gemiddeld)	Restantbedrag/ slotsom	Gegarandeerde inruilwaarde	Krediet-vergoeding	Termi per m
Twingo 1.2 Authentique	€ 10.186,52	€ 4.000,-	€ 6.186,52	36	7,90%	10.000	€ 1.491,25	€ 5.491,25	€ 914,25	€ 15
Twingo 1.2 16V Dynamique	€ 11.886,52	€ 2.000,-	€ 10.186,52²	24	6,90% b	20.000	€ 5.292,80	€ 7.292,80	€ 1.057,32	€ 24
Clio 1.2 Authentique 3drs	€ 12.686,52	€ 2.600,-	€ 10.086,52¹	36	6,90%	10.000	€ 4.307,25	€ 6.907,25	€ 1.481,21	€ 20
Clio 1.4 16V Expression 3drs	€ 14.186,52	€ 4.500,-	€ 10.011,52²	24	6,90%	20.000	€ 4.264,80	€ 8.764,80	€ 980,48	€ 28

Het krediet wordt verstrekt door Renault Financial Services. Elke kredietaanvraag wordt getoetst bij het Bureau Krediet Registratie te Tiel. Wijzigingen voorbe
¹ Onderhoud niet nodig tot 30.000 km. ² Inclusief OnderhoudPlus

Nadert u gelijktijdig met een vaart minderende tram een halte waar passagiers aan de kant van de straat staan te wachten, rijd de tram dan uitsluitend voorbij als u passagiers, die vaak plotseling oversteken, niet in gevaar brengt.

u geeft de passagiers gelegenheid veilig naar het trottoir te lopen

5.7   Overwegen

Een trein kruist vaak de weg en rijdt er met hoge snelheid. De snelheid en de massa van de trein zijn zo groot, dat hij meestal honderden meters nodig heeft om te stoppen. U laat een trein altijd voor gaan en u laat daarbij de overweg geheel vrij.

overweg met overwegbomen

Op heel drukke wegen is de overweg vaak ongelijkvloers gemaakt en gaat het wegverkeer over een brug of viaduct of door een tunnel. Daar waar u niet met een brug, viaduct of tunnel het treinverkeer kunt kruisen en de overweg gelijkvloers is, is de overweg bijna altijd voorzien van overwegbomen. Of u zo'n met overwegbomen beveiligde overweg nadert, kunt u zien aan het waarschuwingsbord met een "hek" erop.
Behalve met overwegbomen, zijn die overwegen ook uitgerust met rode knipperlichten en alarmbellen. Zodra die lichten rood gaan knipperen en de alarmbellen beginnen te rinkelen, stopt u. Na een paar seconden gaan de overwegbomen dicht. Zet uw motor af totdat de overwegbomen weer openen.

Als u stopt bij een overweg, laat u zijwegen en in-of uitritten vrij.

*de overweg is
voorzien van
overwegbomen*

aangepaste snelheid
De tijd tussen het in werking treden van de knipperlichten en de alarmbellen en het dichtgaan van de overwegbomen, is op de plaatselijke maximumsnelheid afgestemd.

er kan nog een trein komen
Nadat de trein is gepasseerd, gaan de overwegbomen automatisch open, ook als vlak daarna nog een trein komt. Om u op dat gevaar te wijzen, staat er dan ook altijd een bord met de tekst "Wacht tot het rode licht gedoofd is. Er kan nog een trein komen".

overweg zonder overwegbomen
Er zijn ook overwegen zonder overwegbomen, maar wel met knipperlichten en alarmbellen. Om niet "overvallen" te worden door de knipperlichten en de alarmbellen moet u zo'n overweg niet te snel naderen. Matig uw snelheid, zodat u de tijd hebt om de situatie te overzien en u altijd kunt stoppen als het rode licht gaat branden.

J11

onbeveiligde overweg
Er zijn overwegen zonder overwegbomen en zonder knipperlichten en alarmbellen. Dit zijn onbeveiligde overwegen.

Als u daar wilt oversteken, moet u dat extra voorzichtig doen en pas oversteken zodra u zeker weet dat het veilig kan. Er zijn ook overwegen zonder overwegbomen, maar wel met knipperlichten en alarmbellen.

Als u tijdens mist een onbeveiligde overweg nadert, steekt u alleen over als u geen trein hoort of ziet naderen. Bij zeer dichte mist overweegt u niet over te steken, maar een andere route te kiezen.

vooraankondiging

Nadering van een overweg wordt buiten en soms ook binnen de bebouwde kom aangegeven met de genoemde waarschuwingsborden, waaronder bakens zijn aangebracht met rode schuine strepen, zowel links als rechts van de weg.

Elke schuine streep geeft een afstand van 80 m. aan. Dus een baken met drie schuine strepen zegt dat u nog 240 m. van de overweg bent verwijderd.

U heeft dan ruim de tijd om langzamer te gaan rijden en u kunt dan ook tijdig zien of er misschien een file staat voor de overweg.

over 240 meter nadert u hier een overweg zonder overwegbomen

overweg vrij houden

Wanneer u in een file rijdt, moet u extra alert zijn en ervoor zorgen dat u nooit op de overweg stil komt te staan. Wacht dus altijd met doorrijden tot aan de andere kant van de overweg voldoende ruimte voor u vrij is.

Mocht uw auto afslaan en niet meer willen starten terwijl u op een overweg stilstaat, doe dan het volgende:

- schakel uw auto in de eerste of tweede versnelling;
- laat de koppeling gewoon opkomen;
- draai uw contactsleutel om en houdt die vast in de stand "starten";
- de auto rijdt nu van de spoorbaan af op de startmotor. (het maakt wat herrie en het stoot en hobbelt wel, maar u bent van de overweg af!).

Lukt het u niet, verlaat dan in elk geval de auto! Er zijn op overwegen mensen omgekomen bij het 'redden' van hun auto.

andreaskruisen

Vlak voor de overweg zelf staat een paal met daarop een of meer kruisen. Eén kruis wil zeggen dat de overweg maar één spoor heeft, twee kruisen geven twee of meer sporen aan.

de overweg heeft twee sporen, u kijkt naar links, naar rechts en die bewegingen herhaalt u voordat u oversteekt

5.8 Brug en viaduct

J31

zijwindhinder

Om het andere verkeer mogelijk te maken onder uw weg door of over uw weg heen te gaan, liggen die bruggen en viaducten vrij hoog. Er staat daar al gauw veel zijwind, waar u last van kunt hebben.

Als u bij hoge bruggen of bij bruggen over groot open water rekening moet houden met zijwindhinder, staat daar meestal een waarschuwingsbord met een afbeelding van een windzak.

Bij frequent grote kans op zijwindhinder hangt er vaak een echte windzak aan een paal. Hoe verder die windzak uitstaat, hoe harder het waait. De richting waarin die zak wijst geeft aan dat de wind uit de tegenovergestelde richting waait.
Als de windzak dwars op de weg staat bent u bedacht op veel zijwindhinder en doet u er goed aan langzamer te rijden, daarbij zorgend dat u de motor van de auto zoveel mogelijk trekkende houdt.

als de windzak dwars op de weg staat bent u bedacht op veel zijwindhinder

gladheid
Bij vorst zijn bruggen en viaducten sneller glad dan gewone wegen. Doordat de wind er ook onder door komt, koelt het wegdek sneller af en bevriest het eerder dan het wegdek van gewone wegen. Bij beweegbare bruggen is de kans op gladheid nog groter. Omdat het brugdek minder dik is koelt het wegdek van bruggen eerder af en is het sneller glad.

beweegbare bruggen

J15

Een beweegbare brug wordt aangegeven met een bord waarop een open brug staat.
Op wegen waar snel gereden mag worden, is het waarschuwingsbord vaak voorzien van een geel knipperlicht. Wanneer dat licht knippert, gaat of is de brug omhoog of net omhoog geweest, u houdt dan rekening met een stilstaande file voor de brug.

Bij de brug zelf staat een rood licht. Als dat brandt of gaat knipperen, stopt u. De slagbomen gaan dan na een paar seconden naar beneden en de brug gaat omhoog.

Als er voor de brug nog een andere weg is, staat bij de brug ook wel eens een rood verlichte pijl. Het verbod om door te rijden, geldt dan alleen voor de richting van de pijl. U mag dan dus wel voor de brug links- of rechtsafslaan.

Na verloop van tijd gaat de brug weer omlaag, gaan de slagbomen weer omhoog en dooft het rode licht. U mag pas gaan rijden zodra het rode licht gedoofd is. Wanneer u moet wachten, zet uw motor dan af totdat u weer mag gaan rijden.

u zet de motor af

5.9   Tunnel

K14

gevaarlijke stoffen
Een tunnel wordt vaak van tevoren aangegeven met een bord. Voertuigen, zoals tankauto's die gevaarlijke stoffen vervoeren welke kunnen ontploffen of snel ontbranden, mogen geen gebruik maken van tunnels.
Bij zo'n tunnel-aanduiding staat ook altijd een bord dat aangeeft welke route voertuigen die gevaarlijke stoffen vervoeren, moeten volgen. Als u om de een of andere reden zelf niet door de tunnel wilt rijden, kunt u van die route gebruik maken.

rijgedrag

Bij het inrijden van een tunnel bent u er op bedacht dat bestuurders vaak vaart minderen en ook meer van de tunnelwand af gaan rijden. Houd daarmee rekening wanneer u achter iemand rijdt of iemand inhaalt, door extra afstand te houden of nog maar niet in te halen.

zonnebril

Zet uw zonnebril af voordat u een tunnel inrijdt. Met zonnebril op heeft u bij het inrijden van de tunnel veel minder zicht. Het scheelt zoveel als dag en nacht!

lichten ontsteken

Voer zeker in een tunnel dimlicht. U bent dan beter zichtbaar voor uw voor- en achterliggers. Zorg er wel voor dat u uw lichten ontsteekt voordat u de tunnel inrijdt, want doet u ze pas in de tunnel aan, dan denkt het achteropkomend verkeer dat u plotseling remt, hetgeen tot een schrikreactie kan leiden.

voordat u de tunnel inrijdt, moet u tijdig dimlicht ontsteken

ls u de tunnel erlaat, moeten uw ogen zich weer instellen op het felle daglicht; dat uurt een paar seconden; pas daarom even uw snelheid aan

105 -VE-KA

rijstrooksignalering

Voor en in tunnels is vaak een rijstrooksignalering aangebracht. Als u boven een rijstrook een roodlicht signaleert, mag u die rijstrook niet volgen.

pech

Als u pech krijgt in een tunnel, probeer dan in elk geval de tunnel uit te komen. Met een lekke band bijvoorbeeld door langzaam door te rijden.

Als u echt niet verder kunt, ontsteek dan de alarmlichten van uw auto, stop helemaal rechts, gebruik -als u bereik heeft- uw mobiele telefoon (112) en wacht op hulp. Als u stil komt te staan zet u natuurlijk onmiddellijk de motor af.

6 Gedrag bij kruispunten, voorrang, voor laten gaan

6.1 Gedrag bij kruispunten

voorzichtig naderen
Op kruispunten komt veel verkeer samen dat vervolgens verschillende richtingen uitgaat. Dat verkeer moet veilig kunnen doorstromen. Nader een kruispunt altijd voorzichtig, zodat u op tijd en correct op de situatie kunt reageren.

beoordeel kruispunt
Stel bij het oprijden van een kruispunt zo vroeg mogelijk vast wat voor soort kruispunt het is:
- een gelijkwaardig kruispunt;
- een kruispunt met een voorrangsweg;
- een gevaarlijk kruispunt binnen de bebouwde kom;
- een gevaarlijk kruispunt buiten de bebouwde kom;
- een kruispunt met een afbuigende voorrangsregeling.

een kruispunt met afbuigende voorrangsregeling

Stel ook vast:
- hoe de verkeersdrukte is;
- waar u zich moet opstellen;
- hoe het uitzicht is voor andere bestuurders;
- hoe het uitzicht is voor uzelf;
- hoe de weersomstandigheden zijn;
- waar voetgangers zich bevinden.

kruispunt niet blokkeren

Zo veilig mogelijk handelen, daar gaat het om en als u moet stoppen om ander verkeer vóór te laten gaan, dient u de doorgang voor het kruisende verkeer zoveel mogelijk vrij te houden.

Om uitzicht te krijgen op de kruisende weg, kan het soms nodig zijn dat u even stopt op een fietspad, zebrapad of voetpad. Probeer dan vooral fietsers en snorfietsers zo min mogelijk te hinderen.

u dient de doorgang zoveel mogelijk vrij te houden

kruispunt blokkeren

U mag op het kruispunt stil gaan staan:
- als u op een voorrangsweg linksaf wilt slaan;
- als voor u het verkeerslicht op groen staat;
- als u een voorrangsvoertuig voor moet laten gaan.

kruispunt oprijden

U mag het kruispunt pas oprijden:

- als u meteen kunt doorrijden of weer snel vrij kunt maken;
- als u uw voertuig tussen de kruisende verkeersstromen kunt opstellen;
- als u ziet dat de bestuurder die recht heeft op voorrang, toch niet kan doorrijden omdat hij op zijn beurt een ander voorrang moet verlenen. U mag dan van de gelegenheidsvoorrang gebruik maken als u zeker weet dat u het kruispunt veilig kunt oversteken.

Gaat u meerdere kruisingsvlakken achter elkaar oprijden, dan vragen de vele details uw volledige aandacht. Let dus extra goed op:

- als u wegen met gescheiden rijbanen kruist;
- als u wegen met vrijliggende fiets- en/of voetpaden kruist;
- als u fiets-/bromfietspaden kruist met verkeer in twee richtingen;
- als u een voorrangshoofdrijbaan moet oversteken om een ventweg in te rijden.

Ligt er voorbij het kruispunt een fietspad dat u moet kruisen, dan moet u voordat u het kruispunt oversteekt, gezien hebben of dat fietspad vrij is of u door kunt rijden en of er opstelruimte aanwezig is.
Voorkom dat u het kruispunt onnodig blokkeert als u moet stoppen voor aan de overkant kruisende fietsers.

stel hier vast wat u aan de overkant kunt verwachten

Aan de overkant van het kruispunt kan ook een voetgangersoversteekplaats (zebrapad) liggen. Kijk of daar voetgangers van plan zijn over te steken. Omdat zij voorgaan, is het misschien niet mogelijk het kruispunt in één beweging over te steken.

vroegtijdig stoppen

Als u een kruispunt nadert waar u voorrang moet verlenen aan andere voertuigen, stop dan op een zodanige plaats dat ook die voertuigen gemakkelijk hun weg kunnen vervolgen. Voorrang verlenen houdt immers in dat u anderen in staat stelt ongehinderd hun weg te vervolgen.

u stopt op een zodanige plaats waardoor de bus ongehinderd zijn weg kan vervolgen

Omdat veel bestuurders de snelheid waarmee ze een kruispunt naderen zelf niet aanpassen, wordt er vaak op enige afstand voor de aansluiting met het kruispunt een drempel geplaatst. Het kruispunt zelf verandert er niet door, het blijft een gelijkwaardig kruispunt.

uitrit inrijden

Soms wilt u een uitrit of een weg die daar op lijkt inrijden, terwijl een andere bestuurder daar wil uitrijden. Voor beide bestuurders geldt de regel dat ze elkaar voor moeten laten gaan.
Gelukkig is de praktijk soms logischer dan de theorie. Wanneer u de bestuurder eerst de uitritconstructie laat uitrijden, krijgt u alle ruimte om er in te rijden.

u geeft de rode auto gelegenheid de weg met uitritconstructie te verlaten

B6

naderingssnelheid

Nader het bord dat aangeeft dat u voorrang moet verlenen met gematigde snelheid zodat u niet op het laatste moment nog hard moet remmen.

Bestuurders op de kruisende weg mogen niet denken dat u door zult rijden. Schrikreacties en verwarring kunnen tot ongevallen leiden.

De bestuurder op de voorrangsweg mag ervan uit gaan, dat u voorrang zult verlenen en dat hij daarom ongehinderd door kan rijden.

B7

Nadert u een kruispunt met een stopbord, ga er dan vanuit dat het een zeer gevaarlijk kruispunt is, ook al oogt het soms overzichtelijk.

U stopt voordat u het kruispunt oversteekt. U moet er alle bestuurders op de kruisende weg voorrang verlenen.

Ook als u als tweede voertuig bij het kruispunt aan komt rijden, moet u vóór de stopstreep stoppen. Dit om u persoonlijk ervan te overtuigen of u veilig kunt oversteken of afslaan.

gevaarlijk kruispunt

J8

Een gevaarlijk kruispunt wordt aangeduid door een bord. Het is dan altijd een gelijkwaardig kruispunt. Nader zo'n gevaarlijk kruispunt extra voorzichtig.

T-splitsing
Bij een gelijkwaardige T-splitsing moet u er altijd op bedacht zijn dat het verkeer op de doorgaande weg de indruk heeft voorrang te hebben en niet zal stoppen voor u.
Dwing geen voorrang af, de kans is groot dat u daardoor een ongeval veroorzaakt.

Andersom moet u ook zelf die fout niet maken als u een gelijkwaardige T-splitsing nadert en er bestuurders van rechts komen. U moet die dan voorrang verlenen. Rijd op zo'n weg niet te hard, want als u om voorrang te kunnen verlenen hard moet afremmen, zou een achteropkomende bestuurder daardoor verrast kunnen worden. En vervolgens u ook! Nader ook T-splitsingen dus met matige snelheid.

verkeerslicht buiten werking
Nader kruispunten met verkeerslichten waarvan het gele licht knippert, extra voorzichtig. Meestal staan er verkeersborden die de voorrangsregeling overnemen van de niet-functionerende verkeerslichten.

als het gele licht knippert, moet uzelf kijken, beoordelen en beslissen

ook naar rechts kijken
Veel bestuurders maken bij het rechtsaf een weg opdraaien de fout alleen maar naar links te kijken. Wanneer van links geen verkeer nadert, kan ik de weg op, denken zij.

Het lijkt te kloppen, maar ze houden er geen rekening mee dat er een bestuurder van rechts kan komen, die aan het inhalen is en dus op het weggedeelte rijdt waar u ook wilt gaan rijden. Realiseert u zich dat gevaar en kijk behalve naar links ook naar rechts, voordat u een weg opdraait.

kijk of er zich tegemoetkomend inhalend verkeer bevindt op de weg die u in wilt slaan

6.2   Voorrangsregeling

ongehinderd voorrang verlenen
Uw gedrag op kruispunten tegenover ander verkeer moet overeenstemmen met de voorrangsregels. Maar dat geldt natuurlijk ook voor het gedrag van de andere bestuurders. Het gaat er om anderen in voorrangspositie ongehinderd hun weg te laten vervolgen. Opdringerig gedrag is ook hinderlijk.

nadering gelijkwaardig kruispunt
Als u een gelijkwaardig kruispunt nadert, staan daar geen borden die de voorrang regelen. Dit is dan in het algemeen een kruispunt waar alleen verharde of alleen onverharde wegen elkaar kruisen.

Op zo'n kruispunt van gelijkwaardige wegen geldt:
- alle bestuurders die van rechts komen, hebben voorrang;
- trams hebben voorrang op alle bestuurders.

Als meerdere bestuurders uit verschillende richtingen gelijktijdig een gelijkwaardig kruispunt naderen, zijn vaak ook meerdere oplossingen mogelijk. U kijkt dan wat de meest praktische volgorde is.

u moet de fietser voor laten gaan

eerst de snorfietser, daarna de auto en als laatste u

u hoeft de snorfietser die een uitritconstructie verlaat, niet voor te laten gaan

een gevaarlijk kruispunt is ook een gelijkwaardig kruispunt, u moet de fietser voor laten gaan

Zodra u een kruispunt nadert, zal uw gedrag beslist en duidelijk moeten zijn. Niet uit stoerheid, maar uit kennis van de regels. Komt u echter in een situatie terecht waarvan u niet weet hoe de voorrang er is geregeld:

- stop dan voor alle zekerheid;
- zoek oogcontact met de andere bestuurders;
- communiceer met handgebaren.

B6

rollerskaters zijn voetgangers met de snelheid van bestuurders

nadering ongelijkwaardig kruispunt
Als u voorrang moet verlenen aan àlle bestuurders op de kruisende weg, staat er het B6 bord voor het kruispunt. Voetgangers zijn geen bestuurders. Die hoeft u dus ook geen voorrang te verlenen.

afbuigende voorrangsweg
Het B6 bord, dat bij de nadering van een afbuigende voorrangsweg of kruispunt staat, verplicht u ook alle bestuurders op de kruisende, afbuigende weg voorrang te verlenen.
Volgt u zelf een afbuigende voorrangsweg of voorrangskruispunt, dan moet u voorrang krijgen van alle bestuurders die zo'n kruispunt naderen.

afbuigend voorrangsweg verlaten
Ook bij het verlaten van een afbuigende voorrangsweg of een afbuigend voorrangskruispunt, moet u voorrang krijgen van alle bestuurders die de afbuigende voorrangsweg naderen.

onverhard, verhard
Nadert u vanaf een onverharde weg een verharde weg, dan moet u aan alle bestuurders op de verharde weg voorrang verlenen.

B3

voorrangskruispunt
Op veel kruispunten en splitsingen regelen borden de voorrang. Waar het bord "voorrangskruispunt" staat, moet u voorrang krijgen.

B1

voorrangsweg
Natuurlijk moet u voorrang krijgen als u een voorrangsweg volgt. In het verkeer moet u niet al te goed van vertrouwen zijn, kijk daarom steeds of u die voorrang ook werkelijk krijgt.
Als u een voorrangsweg volgt en er nadert op een kruispunt een tram van rechts of links, dan moet de trambestuurder aan u voorrang verlenen.

B2

einde voorrangsweg
Als u het bord "einde voorrangsweg" ziet staan, houdt uw voorrangspositie op. Het kruispunt dat u nadert, is dan een gelijkwaardig kruispunt.

6.3   Afslaan

voor laten gaan

Op elk kruispunt gaat wanneer u rechts- of linksaf wilt, al het rechtdoorgaande verkeer op dezelfde weg voor. Wilt u afslaan dan moet u voetgangers, fietsers, auto's, enz. die rechtdoor willen, ook als ze op een naastliggend pad lopen of rijden, vóór laten gaan.

Om dat te kunnen doen, moet u zó gaan stilstaan dat u het kruisende verkeer niet hindert. In de regel moet u dus vóór het kruispunt wachten als er (rechtdoorgaand) verkeer is dat u tegemoetkomt of van achteren nadert.

rechtsaf voor linksaf

Als u linksaf wilt en de bestuurder die u tegemoet komt, wil rechtsaf dezelfde weg inrijden als u, laat dan de bestuurder die rechts afslaat voor gaan. U kunt ook zeggen: de bestuurder die de kortste bocht maakt, gaat voor.

u laat de rechtsafslaande auto voor gaan

Alle overige gedragingen die betrekking hebben op het afslaan behandelen we uitvoerig in les 9, Rijmanoeuvres.

u laat eerst de snorfietser voorgaan daarna de auto

eerst de fietser, daarna u en als laatste de auto

eerst de voetganger daarna de auto en als laatste u

eerst de voetganger, daarna u en als laatste de auto

eerst u, daarna de voetganger, en als laatste de auto

eerst auto 2, daarna auto 1 en als laatste u

eerst de voetganger, daarna de auto, dan u en als laatste de fietser

6.4   Voorrangsregels tram, militaire colonne, voorrangsvoertuig

voorrangsregeling tram

U laat de tram voorgaan:
- als de tram op een gelijkwaardig kruispunt van links of rechts komt;
- als de tram naast u nadert en uw voertuig moet kruisen;
- als de tram u van voren nadert en uw voertuig moet kruisen.

u moet voorrang krijgen van de trambestuurder

u moet de afslaande tram voor laten gaan

u moet de afslaande tram die naast u nadert, ook voor laten gaan

voorrangsvoertuig

Als voorrangsvoertuigen van politie, brandweer en ambulance-diensten zwaailichten en de meertonige sirene voeren, moet u ze voor laten gaan.

U stelt dan zo vlug mogelijk vast uit welke richting het voertuig komt. Vervolgens kijkt u hoe het voertuig met de minste hindering voor kunt laten gaan, soms moet u daarvoor uiterst rechts van de rijbaan stil gaan staan of zelfs gedeeltelijk op trottoir.

voorrangsregeling militaire colonne

Nadert u een militaire colonne, dan moet u de colonne voor laten gaan:

- als de colonne van rechts komt op een gelijkwaardig kruispunt;
- als de colonne komend van links of van rechts begonnen is met oversteken van het kruispunt;
- als de colonne is begonnen met afslaan.

Rijdt u met uw auto in een militaire colonne, dan moet u als een verkeerslicht op rood springt, gewoon stoppen.
Rijdt een kruisende militaire colonne door rood licht, dan moet u dus voor het groene licht stoppen om aan de colonne voorrang te kunnen verlenen.

u moet de colonne voor laten gaan omdat die aan het afslaan is

u moet de colonne voor laten gaan omdat die aan het oversteken is

u stopt vóór het groene licht om de colonne voor te laten gaan

L 7 Snelheid en afstand houden

Algemeen

"verstandsmeter"
U zou een snelheidsmeter in veel situaties beter een 'verstandsmeter' kunnen noemen. Hoe hoger u uw snelheid opvoert, hoe méér u daalt op de verstandsmeter. Jeugdige bestuurders raken vaak betrokken bij verkeersongevallen. De belangrijkste oorzaken zijn het overschatten van de eigen rijvaardigheid en het rijden met te hoge snelheid. Zorg dat u niet te hoog scoort op de snelheidsmeter, maar wel op de verstandsmeter.

7.1 Maximumsnelheden

maximumsnelheid binnen de bebouwde kom
Binnen de bebouwde kom geldt de regel dat u er niet sneller mag rijden dan 50 km/u, tenzij een bord aangeeft dat de maximumsnelheid bijvoorbeeld 70 km/u is.
Verder heeft u binnen de bebouwde kom nog bijzondere gedeelten waar lagere maximumsnelheden gelden: 30 km/u in een 30 km/u-gebied en 15 km/u binnen een erf.

*binnen de bebouwde kom mag u -als dat staat aangegeven-
70 km/u rijden*

maximumsnelheden buiten de bebouwde kom

Er gelden allerlei maximumsnelheden, afhankelijk van de plaats
waar u rijdt. Op autosnelwegen is de maximumsnelheid 120
km/u, op autowegen is die 100 km/u en op alle andere wegen
buiten de bebouwde kom 80 km/u.
Deze maximumsnelheden gelden natuurlijk niet als op een
gewoon bord náást of op een elektronisch bord bóven de weg
een lagere snelheid is aangegeven. Dan geldt die als
maximumsnelheid.

op autowegen geldt een maximumsnelheid van 100 km/u

op deze weg geldt een maximumsnelheid van 80 km/u

als de weg geen autoweg is, geldt een maximumsnelheid van 80 km/u

maximumsnelheid brommobielen

Een brommobiel mag zowel binnen als buiten de bebouwde kom niet sneller rijden dan 45 km/u. Houdt u daar rekening mee als u een brommobiel nadert.

maximumsnelheid met aanhangwagen

Als u met een aanhangwagen of caravan rijdt, is de maximumsnelheid op alle wegen buiten de bebouwde kom 80 km/u, ook op auto(snel)wegen.

*u mag niet
sneller rijden
dan 80 km/u*

50
km/h

A4

adviessnelheden

Behalve borden met maximumsnelheden, zijn er ook borden
met zogenaamde adviessnelheden.

Met die snelheden komt u onder normale omstandigheden niet
in de problemen. Het is aan te raden die snelheidsadviezen op
te volgen. De adviessnelheden zijn afgestemd op de
plaatselijke omstandigheden.

*hier wordt een
adviessnelheid
gegeven*

variabele snelheden

Doordat adviessnelheden altijd gekoppeld zijn aan plaatselijke
omstandigheden, kunnen ze nogal variëren, soms langzaam
oplopend, soms juist afnemend, maar altijd met het oog op
vloeiende doorstroming van het verkeer.

Een voorbeeld zijn de wisselende adviessnelheden bij een reeks opeenvolgende verkeerslichten.
Door de geadviseerde snelheden aan te houden, profiteert u van een "groene golf" dat wil zeggen u krijgt geen rood verkeerslicht te zien.

snelheid aanpassen
U moet uw snelheid aanpassen aan het overige verkeer. Niet sneller rijden, maar ook niet onnodig langzaam waardoor de doorgang van het andere verkeer wordt belemmerd.

J21

Rijd langzamer bij een school waar kinderen kunnen oversteken, wees zeer attent op uw snelheid. Pas uw snelheid ook aan, aan het weer en de aard van het wegdek. Houd rekening met vermoeidheid en aan de onbekendheid met de situatie. Altijd uw snelheid aanpassen en dat is bijna altijd: gas terugnemen.

Het wegdek waarop u rijdt, is niet overal in goede staat. Houd altijd rekening met een onaangekondigd slecht wegdek en dus met verhoogd slipgevaar en een langere stopafstand.

Rijdt u buiten de bebouwde kom op een smalle weg met bochten en bomen dicht langs de kant, pas dan uw snelheid aan, aan de beperkte ruimte tussen u en de tegenliggers en tussen u en de bomen!

Voordat u snelheid mindert, observeert u via uw linker- en rechterbuitenspiegel en de binnenspiegel de volgafstand van het verkeer achter u.

weinig tijdwinst
Snel rijden heeft eigenlijk alleen zin wanneer u gedurende langere tijd die hoge snelheid kunt aanhouden. Pas dan zult u een beetje tijd winnen.

Binnen de bebouwde kom maar ook op wegen daarbuiten heeft snel rijden helemaal geen zin wanneer het druk is. U moet toch vaak weer afremmen.
Het enige wat u dan bereikt, is een hoog benzineverbruik en meer kans om bij een ongeval betrokken te raken.

misleidende gewenning

Als u langere tijd op de autosnelweg hebt gereden en vervolgens de bebouwde kom binnenrijdt, moet u erop bedacht zijn, dat de verplichte maximum snelheid van 50 km/u u heel langzaam voorkomt.

U bent zo gewend aan die snelwegsnelheid, dat u als "vanzelf" sneller rijdt dan 50 km/u. Let daarop en kijk extra op uw snelheidsmeter als u de bebouwde kom binnenrijdt.

risico's

Als u op lange trajecten langdurig de maximumsnelheid rijdt, moet u erop bedacht zijn, dat:

- uw snelheidbesef vervaagt;
- uw gevoel voor de veiligste volgafstand afneemt;
- uw gevoel voor mogelijk gevaar afneemt;
- u de eigen snelheid onderschat.

op lange trajecten vervaagt uw snelheidsbesef, alleen de snelheidsmeter blijft objectief

7.2   Afstand houden

Volgens de wet moet u zo rijden, dat u altijd kunt stoppen binnen de afstand waarover u de weg kunt overzien en de weg vrij is. In de praktijk rijdt bijna niemand zo.

Als u bijvoorbeeld op de autosnelweg rijdt en u zou circa 100 m. afstand tot uw voorligger houden, dan zou er voortdurend verkeer tussenvoegen.

U kunt in zo'n situatie gerust een kortere afstand aanhouden van bijvoorbeeld 50 m, maar ook niet minder.
Op een autosnelweg kan die afstand wat korter zijn omdat u niet hoeft te verwachten dat er plotseling verkeer van rechts of links zal oversteken.

Als uw voorligger plotseling remt, zal die ook niet ineens stilstaan en heeft u zelf ook meer tijd om te remmen.

Als vuistregel kunt u aanhouden dat u ongeveer die afstand moet houden, die uw voorligger in twee seconden kan afleggen. Deze afstand wordt daarom "twee seconden rijtijd" genoemd.

twéé seconden volgafstand geeft u en anderen een veilig gevoel

Deze z.g. 2-seconden regel geldt bij goede weers- en wegomstandigheden. De afstand tot uw voorganger wordt "gemeten" door 21....22 te tellen (= 2 seconden), als deze een bepaald punt, bijvoorbeeld een bermpaaltje passeert. Als u binnen 2 seconden zelf dat punt bereikt is de aangehouden afstand te klein.

Om te berekenen hoeveel afstand u per seconde aflegt, moet u gereden snelheid en meters delen door het aantal seconden dat in een uur zit.
Bijvoorbeeld: 80 km/u is: 80.000 meter per 3600 seconden.
Per seconde is dat 80.000 gedeeld door 3600 = 22,2 meter.

Naast deze formule bestaat er nog een makkelijke vuistregel om te berekenen hoeveel meter uw voertuig per seconde aflegt: Snelheid in km/u gedeeld door 10, maal 3.

Bijvoorbeeld: 80 km/u is 80 gedeeld door 10 = 8.
                  8 maal 3 = 24 meter per seconde.

Onderstaand een overzicht van afgelegde afstanden volgens beide methodes. U ziet dat de uitkomsten niet veel verschillen.

Km/u	Volgens formule	Volgens vuistregel
120 km/u	33.3 m/sec	36 m/sec
110 km/u	30.5 m/sec	33 m/sec
100 km/u	27.7 m/sec	30 m/sec
90 km/u	25.0 m/sec	27 m/sec
80 km/u	22.2 m/sec	24 m/sec
70 km/u	19.4 m/sec	21 m/sec
60 km/u	16.6 m/sec	18 m/sec
50 km/u	13.8 m/sec	15 m/sec
40 km/u	11.1 m/sec	12 m/sec
30 km/u	8.3 m/sec	9 m/sec
20 km/u	5.5 m/sec	6 m/sec
10 km/u	2.7 m/sec	3 m/sec

Houdt u de 2-seconden afstand aan die de vuistregel oplevert, dan is dat:
- bij 120 km/u – volgens de vuistregel : 2 x 36m = 72m;
- bij 100 km/u – volgens de vuistregel : 2 x 30m = 60m;
- bij 80 km/u   – volgens de vuistregel : 2 x 24m = 48m;
- bij 60 km/u   – volgens de vuistregel : 2 x 18m = 36m.

Onder gelijke omstandigheden is afstand houden volgens bovenstaande vuistregel nog iets veiliger dan volgens de 2-seconden regel.

volgafstand vergroten
Moeilijke omstandigheden die een grotere volgafstand vereisen zijn o.a.:
- gevaar voor watergladheid (aquaplanning);
- winterse omstandigheden;

- bergafwaarts rijden;
- rijden in mist.
  In deze omstandigheden houdt u 3-seconden afstand.
  Tel 21...22...23 = 3 seconden.

Ook als uw voertuig zwaar beladen is, is een grotere volgafstand aanhouden geen luxe. En ook bij vermoeidheid kan een grotere volgafstand u veel narigheid besparen. Uw reactie is dan niet zo snel als normaal en u zult daardoor meer tijd nodig hebben om tot stilstand te komen.

mist moet u alarmeren, neem direct 3 seconden afstand

algemene regel
Er geldt nog een regel over afstand houden voor alle bestuurders van motorvoertuigen en dat is deze: u moet altijd zoveel afstand houden tot uw voorligger dat een inhalend voertuig veilig kan tussenvoegen.

7.3   Stopafstand

Als u een stilstaand obstakel op uw weghelft kunt verwachten of als u kruisend verkeer kunt verwachten, moet u zo rijden dat u binnen de afstand tot dat obstakel of kruisend verkeer, kunt stoppen. Bij een gewoon kruispunt zult u zo'n 15 meter daarvoor pas kunnen zien of u voorrang moet verlenen.

Als u binnen 15 meter nog wilt kunnen stoppen, dan moet u niet sneller rijden dan ongeveer 25 km/u, afhankelijk van de kwaliteit van uw remmen en de conditie van het wegdek (droog of nat bijvoorbeeld).
Als bestuurder moet u altijd direct kunnen inschatten hoeveel afstand u ongeveer nodig heeft om volledig tot stilstand te komen.

Het is logisch dat bij het toenemen van uw snelheid ook de stopafstand langer wordt en die neemt progressief toe. Als u bijvoorbeeld uw snelheid verdubbelt, dan wordt uw stopafstand niet 2 keer langer maar 4 keer.

We gaan ervan uit dat tussen uw waarneming "ik moet remmen" en uw daadwerkelijk op de rem trappen één seconde verstrijkt. Deze seconde noemen we de reactieseconde.

Eerder in deze les heeft u kunnen lezen hoeveel afstand u bij een bepaalde snelheid in een seconde aflegt.
De werkelijke stopafstand is de afgelegde afstand in de reactieseconde + de remafstand.

remafstand
Voor het bepalen van de exacte remafstand geldt een officiële formule, maar die is moeilijk uit het hoofd te berekenen. U moet dan precies weten wat de remvertraging van het remsysteem van uw voertuig is.

Maar als uw remmen goed zijn, kunt u voor het bepalen van de remafstand de volgende vuistregel gebruiken:
(Snelheid in km : 10) x (snelheid : 10)

Bij 120 km/u is de remafstand (120 : 10) x (120 : 10) = 12 x 12 = 144 meter.
Bij 100 km/u is de remafstand (100 : 10) x (100 : 10) = 10 x 10 = 100 meter.

Bij 80 km/u is de remafstand: 8 x 8 = 64 meter.
Bij 70 km/u is de remafstand: 7 x 7 = 49 meter.
Bij 60 km/u is de remafstand: 6 x 6 = 36 meter.
Bij 50 km/u is de remafstand: 5 x 5 = 25 meter.

Tussen "ik moet remmen" en de remafstand liggen nog vele meters waarin niets gebeurt maar die wel meetellen.

Stopafstand = reactieafstand + remafstand

Nog een aantal voorbeelden:

Reactieafstand bij 60 km/u	= 18 meter.
Remafstand bij 60 km/u (6 x 6)	= 36 meter.
De stopafstand is dan 18 + 36	= 54 meter.
Reactieafstand bij 80 km/u	= 24 meter.
Remafstand bij 80 km/u (8 x 8)	= 64 meter.
De stopafstand is dan 64 + 24 meter	= 88 meter.
Reactieafstand bij 100 km/u	= 30 meter.
Remafstand bij 100 km/u (10 x 10)	= 100 meter.
De stopafstand is dan 30 + 100	= 130 meter.
Reactieafstand bij 120 km/u	= 36 meter.
Remafstand bij 120 km/u (12 x 12)	= 144 meter.
De stopafstand is dan 36 + 144	= 180 meter.

L 8 Andere weggebruikers

8.1 Verschillende verkeersdeelnemers

verantwoordelijkheden en risico's

Wij kunnen niet zien waar de bestuurder die in de verte nadert, met zijn gedachten zit, hoeveel ervaring hij heeft of hij uitgerust is, gedronken heeft, medicijnen gebruikt, serieus is enz. enz. Wij weten niet wat hij gaat doen als hij kan kiezen uit meerdere mogelijkheden.

Wij kunnen niet weten dat hij ons allang heeft zien aankomen en zich al heeft voorbereid op de situatie die gaat ontstaan. Misschien vraagt hij zich precies hetzelfde af over ons. Wij vertrouwen erop dat de ander een rijbewijs heeft en dus - net als wij- voldoet aan de eisen ten aanzien van kennis, inzicht, verantwoordelijkheidsbesef, lichamelijke en geestelijke gezondheid, nodig om deel te kunnen en mogen nemen aan het verkeer.

Sommige bestuurders rijden roekeloos, volgen u op veel te korte afstand, halen gevaarlijk in en andere rijden overdreven voorzichtig.

Van u wordt verwacht dat u onder alle omstandigheden kalm blijft, geen agressieve reactie's vertoont en snelheid en volgafstand altijd op de juiste manier aanpast. Het hebben van een rijbewijs legt verplichtingen op. Hoe scherper we ons dat realiseren, hoe geringer de kans op ongelukken. Kennis is veiligheid.

8.2   Kwetsbare weggebruikers

voetgangers
Voetgangers zijn geneigd zich niet aan regels te houden. Niet zozeer opzettelijk, dan wel omdat ze het gevoel hebben geen deel uit te maken van het verkeer. Een beetje klopt dat ook wel. Ze lopen het grootste deel van de tijd op een min of meer veilig trottoir.

kinderen
De voetgangers op wie u het meest moet letten zijn kinderen. Kinderen zijn uiterst spontaan en direct in hun gedrag maar ook onberekenbaar. Het verkeersonderwijs op scholen is bovendien weinig effectief, zodat u ook van iets oudere kinderen niet teveel verkeersinzicht moet verwachten.

Als u door kinderrijke woonbuurten rijdt, in de buurt van scholen of op veelgebruikte routes naar die scholen, doe het dan rustig aan en let goed op.
Bijna overal staan auto's geparkeerd, ook vlakbij oversteekplaatsen voor kinderen. Daar gebeuren dan ook veel ongevallen. Kinderen kijken niet goed uit en omdat ze niet over geparkeerde auto's heen kunnen kijken, zien ze u ook niet altijd aankomen. De verantwoordelijkheid ligt dus bij u en als u in een woonstraat met meer dan 30 km/u langs geparkeerde auto's rijdt, kunt u op het moment dat u een kind ziet, niets meer doen.

Let extra op kinderen die rennen op het trottoir of elkaar van weerszijden van de rijbaan iets toeschreeuwen. En let ook op kinderen die een school uit komen rennen, terwijl hun moeders hen, al dan niet met de auto aan de overkant van de straat staan op te wachten.

kinderen vormen de kwetsbaarste categorie weggebruikers

kinderen vergeten in hun spel op ander verkeer te letten

bejaarden, gehandicapten

Ook het gedrag van bejaarden kan onvoorspelbaar zijn. Als gevolg van afnemend waarnemings- en reactievermogen zien ze u mogelijk niet tijdig aankomen of ze onderschatten uw snelheid.

Toon begrip voor hun beperkingen en doe het ook daarom in woonwijken rustig aan.

Bejaarden zijn vaak zo onzeker in het verkeer dat ze soms tijden staan te wikken en te wachten en dan nòg de verkeerde beslissing nemen. Dan hebt u nog te maken met mensen die slecht horen.

Ze zijn moeilijk te herkennen zolang ze geen onzeker gedrag vertonen in tegenstelling tot blinden die natuurlijk alleen kunnen afgaan op hun gehoor. Soms is stoppen zowel voor hen als voor u het veiligst, maar als u stopt, zorg dan dat andere weggebruikers dóór hebben waarom u dat doet.

toon begrip voor hun beperkingen

fietsers

Fietsers gedragen zich vaak ondoordacht in het verkeer. Meer dan voor andere bestuurders geldt dat een fietser voor een geparkeerde auto zonder op- of omkijken zal uitwijken om die vervolgens voorbij te rijden.
Let op zeer subtiele signalen: een zeer kleine verdraaiing van het hoofd of het even ophouden met trappen zijn meestal de enige aanduidingen die u krijgt van een fietser die linksaf wil slaan. Ruwweg de helft van de fietsers voert 's avonds geen licht, aan heel veel fietsen ontbreekt de verplichte reflector.

Ongelukken zijn dan ook vaak niet te vermijden. Wees bedacht op trimfietsers en trainende amateurwielrenners die hebben ontdekt dat asfalt veel lekkerder rijdt dan de meeste fietspaden of die de rijbaan gebruiken als inhaalstrook in plaats van het fietspad.

Ook de kwetsbaarheid van fietsende moeders met kleine kinderen voor- en achterop moet u direct in de hoogste staat van paraatheid brengen. Zoveel aandacht verdienen fietsers met volle tassen aan het stuur trouwens ook.

fietsers met volle tassen aan het stuur verdienen extra aandacht

u wacht tot de verkeerssituatie veilig inhalen mogelijk maakt

u blijft achter de fietsers tot u zeker weet dat u veilig kunt inhalen

bromfietsers, snorfietsers

Bromfietsers en snorfietsers in de leeftijdscategorie 16-25 jaar zijn eigenlijk gevaarlijke fietsers of gevaarlijke motorrijders, net hoe u het wilt bekijken.

Veel bromfietsers en snorfietsers rijden ook binnen de bebouwde kom 50 km/u of sneller en hebben dan het idee dat niemand ze zal inhalen of kan bijhouden.
Anticiperen op zo'n onvolwassen rijgedrag is het enige dat u als achteropkomende bestuurder kunt doen om niet in de problemen te komen. Een extra probleem zijn snorfietsen bestuurd door jongeren.

Als u fietsers, snorfietsers of bromfietsers inhaalt, let dan op. Uw auto beïnvloedt de stuurvastheid van deze bestuurders. U mag daarom uitsluitend inhalen met ruime zijdelingse afstand (1,5 m) en u mag na de inhaalmanoeuvre niet te vroeg naar rechts gaan.

bromfietsers kijken vaak niet uit en vertonen vaak een 'macho' rijgedrag

motorrijders

Sommige gehaaste motorrijders hebben sterk de neiging andere weggebruikers -ook u- rechts in te halen. Op dit soort afwijkend gedrag is nauwelijks te anticiperen.
Soms is zo'n motorrijder in de spiegels te herkennen doordat hij zich al langer opvallend gedraagt en daarmee thuishoort in de, waar we het eerder over hadden, categorie weggebruikers die het algemene verkeersbeeld verstoort.

Vooral na het bijwonen van wegraces zorgen sommige opgefokte motorrijders voor adembenemende tafereeltjes. Het enige wat u kunt doen is het hoofd koel houden. Dat laatste is trouwens een vaardigheid die in het hedendaagse verkeer elke dag van pas komt.

laat u niet in de war brengen, houd het hoofd koel

groepen voetgangers

Goed opletten is ook de boodschap bij het naderen van grotere groepen voetgangers zoals optochten, colonnes e.d. Hun omvang, traagheid en bewegingspatroon heeft een ontregelend effect op andere weggebruikers.

Beoordeel de totale verkeerssituatie bij het naderen van zo'n groep op een juiste wijze. Als een grote groep voetgangers de rijbaan volgt, valt ze onder de regels voor bestuurders van (ongemotoriseerde)wagens.

groepen voetgangers moeten volle aandacht krijgen ook als ze (nog) op het trottoir of voetpad lopen

ruiters en geleiders van rij-, trekdieren en vee

Verder dient u extra op te letten als u te maken krijgt met ruiters en geleiders van rij-, trekdieren en vee, die zeer kwetsbaar zijn.

Haal ze met aangepaste snelheid in. Zorg voor zijdelings minstens 1,5 meter afstand en laat claxonneren achterwege.

8.3   Overige weggebruikers

rijdende winkel

Juist als ze stilstaan, zijn rijdende winkels een gevaar voor andere weggebruikers. Zeker als ze stilstaan in een bocht of op een kruispunt. Ze ontnemen u een groot deel van het uitzicht op de situatie voorbij de plaats waar ze staan en er omheen staan en lopen huisvrouwen, honden, kleine kinderen etc. Rijd ze zeer bedachtzaam en met ruime afstand voorbij.

leswagens

Leerlingen in leswagens halen soms rare toeren uit al of niet als oefening en een instructeur die ook niet op alles tegelijk kan letten, rekent op de tolerantie van andere weggebruikers.

landbouwverkeer

Een van de schrikbeelden in landelijke gebieden is een tractor die vlak voor u plotseling de weg opkomt. U bent dus gewaarschuwd. Houd als het zover is niet alleen de activiteiten op de weg in de gaten, maar ook wat naast de weg gebeurt.

Als u achter een tractor rijdt die een hoog geladen aanhangwagen trekt, hoeft u niet te twijfelen: de bestuurder van die tractor ziet u niet. Wacht geduldig tot er vrije ruimte is om in te halen.

Houd er rekening mee, dat de tractor met hooggeladen aanhangwagen, zonder dat u hem richting heeft zien aangeven, een inrit opdraait. Hooi binnenhalen heeft vaak voorrang op het vernieuwen van een lampje van achter! En wat te denken van op de rijbaan liggende modder en veldgewassen, die van de tractor zijn gevallen tijdens het vervoer. Houd ook rekening met de jeugdige leeftijd van de tractorbestuurder. Hij kan best pas 16 jaar zijn en heeft dus nog weinig verkeerservaring en inzicht opgedaan.

rijd in gebieden met veel landbouwverkeer (tractoren) extra attent

Komt u in de schemering een tractor met licht aan tegemoet, ben u er dan van bewust dat:

- u een aangekoppeld werktuig, dat breder is dan de tractor, slecht kunt onderscheiden;
- de tractor met aangekoppeld voertuig breder is dan zijn verlichting doet vermoeden;
- de aangekoppelde aanhangwagen breder is dan de tractor.

gedrag weggebruikers bij een ongeval

Nadert u een plaats waar een ongeval heeft plaatsgevonden bedenk dan dat:

- bestuurders voor u plotseling (uit nieuwsgierigheid) snelheid verminderen;
- er voetgangers op of vlak naast het ongeval op de rijbaan kunnen lopen;
- u zich vooral niet laat afleiden van het verkeer, door u te verdiepen in de oorzaak van het ongeval.

voertuig met knipperend alarmlicht

Knipperende alarmlichten waarschuwen u ervoor dat:

- u op een stilstaande of zeer langzaamrijdende file stuit;
- een voertuig vóór u wordt gesleept;
- een voertuig met pech stil staat.

stilstaande politieauto of motor met zwaailicht

Staat er op de vluchtstrook een politieauto met zwaailicht houd dan rekening met:

- een traag rijdende file;
- stilstaande voertuigen als gevolg van een ongeval;
- een geblokkeerde rijstrook.

as uw snelheid an, loop niet te dicht op uw oorligger in en observeer hteropkomend verkeer

voertuig met buitenlands kenteken

Als u binnen de bebouwde kom achter een voertuig rijdt met een buitenlands kenteken, dan kan de bestuurder u verrassen, doordat hij de weg zoekt en daarbij:

- plotseling remt;
- te laat richting aangeeft;
- onverwachts stopt om naar de weg te vragen.

tenslotte

Meestal zijn menselijke fouten de oorzaak van gevaarlijke situaties. Straf fouten van andere bestuurders niet af, dat leidt alleen maar tot een kettingreactie van irritaties. Begrip tonen is verstandiger, gezonder en veiliger.

Een goede bestuurder beseft dat hij afhankelijk is van andere weggebruikers en andere weggebruikers afhankelijk zijn van hem en stemt daar zijn rijgedrag op af.

9.1   In- en uitstappen

instappen
Open het portier pas als u zeker weet dat u daardoor geen
gevaar of hinder veroorzaakt voor andere weggebruikers, zowel
tegemoet-komend als achteropkomend verkeer. Voor alle
situaties geldt dat u het portier niet langer dan strikt
noodzakelijk geopend houdt.

voor langs lopen
Voordat u instapt, kijkt u eerst achter de auto of u wel achteruit
kunt rijden als dat nodig zou zijn. Vervolgens loopt u voor de
auto langs naar het portier. Zo ziet u het verkeer goed naderen
en ziet u ook eventuele obstakels aan de voorkant.
Nadert er geen verkeer, dan stapt u zo vlot mogelijk in en trekt
u meteen het portier achter u dicht en u doet de gordel om.
Stap in één keer in.

uitstappen

Ook in het verkeer speelt de macht der gewoonte een grote rol. Het is dan ook goed van zorgvuldig kijken een gewoonte te maken, bijvoorbeeld: voordat u uitstapt, kijkt u in de linker buitenspiegel en links naast de auto.

U mag andere weggebruikers niet hinderen en niets van wat u doet, mag tot gevaarlijke situaties leiden.

9.2 Wegrijden

aandachtspunten

Als u wilt wegrijden, moet u het overige verkeer voor laten gaan:

U observeert:

- de beschikbare ruimte;
- het uitzicht;
- de weersomstandigheden;
- de verkeersdrukte;
- het achteropkomend verkeer;
- het tegemoetkomend verkeer;
- de snelheid van naderende bestuurders.

ook bij het wegrijden na een stop in het verkeer mag u geen gevaar veroorzaken

kijken

Meestal staat uw auto aan de rechterkant geparkeerd, u kijkt dan voor u wegrijdt eerst naar voren en in de binnenspiegel, daarna in de linkerbuitenspiegel én als laatste links naast u.

Staat uw auto aan de linkerkant geparkeerd dan wordt het wegrijden extra moeilijk omdat u geen goed zicht op tegenliggers hebt.

u ziet nu de tegemoetkomende bestuurders pas in een laat stadium

richting aangeven
Kunt u veilig wegrijden, geef dan richting aan vlak voordat uw auto in beweging komt. Te vroeg richting aangeven schept verwarring. Andere bestuurders denken misschien dat uw richtingaanwijzer is blijven aanstaan of zijn bang dat u weg gaat rijden net op het moment dat zij u zijn genaderd. Zorg ervoor dat uw moment van wegrijden naderende bestuurders niet dwingt tot remmen of uitwijken.

optrekken
Houd tijdens het optrekken, na een stop in het verkeer, de voor u rijdende bestuurder en de verkeerssituatie scherp in de gaten. Misschien moet u nog een keer plotseling stoppen.

let erop of uw voorligger plotseling nogmaals stopt

wegrijden buiten de bebouwde kom

Wilt u buiten de bebouwde kom wegrijden vanaf een parkeer,-
of vluchthaven, besef dan dat u meteen tussen het snel
rijdende verkeer terecht komt.
Zorg ervoor dat uw moment van wegrijden naderende
bestuurders niet dwingt tot remmen of uitwijken.

*de bestuurder op de pechhaven moet voordat hij wegrijdt vooral ook op
tegenliggers letten, zelf moet u niet inhalen ter hoogte van een
pechhaven met daarop een geparkeerd voertuig*

Als u wilt wegrijden vanaf een vluchtstrook, waak er dan voor
andere bestuurders niet te hinderen. U moet uw snelheid
opvoeren op de vluchtstrook, tot u met een veilige snelheid de
doorgaande rijbaan op kunt rijden.

9.3   Voorsorteren

voorsorteren linksaf

Voorsorteren om links af te slaan, doet u als volgt:

- tegen de as van de weg (op wegen waar u tegemoetkomende
  bestuurders kunt verwachten);
- geheel links van de weg (op volledige éénrichtingswegen),
  op éénrichtingswegen waar u tegemoetkomende (brom)fietsers
  kunt verwachten, sorteert u tegen de as van de weg voor;
- geheel links van de rijbaan, als de weg gescheiden rijbanen
  heeft.

voorsorteren rechtsaf

Voorsorteren om rechtsaf te slaan doet u als volgt:

- tegen de trottoirband of de witte zijlijn van de rijbaan;
- als er rechts van de rijbaan een fietsstrook of busstrook met een doorgetrokken streep ligt, sorteert u tegen die streep voor;
- als de fietsstrook met een onderbroken streep gemarkeerd is, mag u daarop wel voorsorteren als u daarbij maar geen fietsers of snorfietsers hindert of in gevaar brengt.

9.4   Rechts afslaan

Handelingen voordat u rechts afslaat:

- *kijken*
  Ruim voor het punt waar u wilt afslaan, kijkt u eerst of u met de voorgenomen richtingverandering anderen niet in gevaar brengt. U kijkt eerst in de binnenspiegel, daarna -indien aanwezig- in de rechterbuitenspiegel en dan over uw rechterschouder. Natuurlijk blijft u ook letten op de weg vóór u.

- *richting aangeven*
  Pas als u weet dat u veilig van richting kunt veranderen, geeft u richting aan naar rechts.

- *voorsorteren*
  Vervolgens sorteert u in een vloeiende lijn voor naar rechts (maar zorgt u ervoor dat u daarbij geen fietsers of snorfietsers hindert).

- *vóór laten gaan*
  Krijgt u bij het afslaan naar rechts te maken met rechtdoorgaand verkeer op dezelfde weg, dan laat u dat voorgaan.
  Let daarbij vooral ook op fietsers, snorfietsers en bromfietsers op een fietsstrook of vrijliggend fiets-/bromfietspad en op voetgangers.

- *de bocht naar rechts kort nemen*
  De bocht naar rechts neemt u zo kort, dat u uitkomt op de rechterweghelft van de weg die u ingaat. Dus nooit de bocht zo snel nemen dat u op de linkerweghelft van de ingeslagen weg komt!

rechtsaf enkelbaansweg op

Als u buiten de bebouwde kom rechtsaf een enkelbaansweg oprijdt, moet u zich realiseren dat:

- bestuurders, zowel van links als rechts, snel kunnen naderen;
- u frontaal op een inhaler kunt botsen;
- bomen het uitzicht naar links en rechts vaak volledig kunnen wegnemen;
- u niet altijd voorrang zult krijgen.

bomen zijn mooi om te zien, maar slecht voor het uitzicht

kijk niet alleen naar links voordat u rechts afslaat, u zou frontaal op een van rechts komende inhaler kunnen botsen

9.5   Links afslaan

Handelingen voordat u links afslaat:

- *kijken*
  Ruim voor het punt waar u wilt afslaan, kijkt u of u met de voorgenomen richtingverandering anderen niet in gevaar brengt. U kijkt eerst in de binnenspiegel, dan in de linkerbuitenspiegel en dan links opzij. Natuurlijk blijft u ook letten op de weg vóór u.

- *richting aangeven*
  Pas als u weet dat u veilig van richting kunt veranderen, geeft u richting aan naar links.

- *voorsorteren*
  Vervolgens in een vloeiende lijn naar links voorsorteren.

- *vóór laten gaan*
  Krijgt u bij het afslaan naar links te maken met rechtdoorgaand verkeer op dezelfde weg, laat dat dan altijd voorgaan, óók fietsers, snorfietsers, bromfietsers en voetgangers.

- *de bocht naar links ruim nemen*
  De bocht naar links moet u zo ruim nemen, dat u uitkomt op de rechterweghelft van de weg die u in gaat. Snij de bocht naar links niet af. Als u links wilt afslaan, let u op achteropkomend verkeer:
  - voordat u voorsorteert;
  - nogmaals onmiddellijk voor het daadwerkelijk afslaan.

op een volledige éénrichtingsweg sorteert u zoveel mogelijk links voor, als u links af wilt slaan

op een beperkte
éénrichtingsweg
sorteert u niét
zoveel mogelijk
links voor, maar
sorteert u voor,
tegen de as van
de weg

tegenligger ook linksaf

Als u èn een tegemoetkomende bestuurder linksaf willen, gaat u voor de ander langs, tenzij:

- de tegenligger al duidelijk positie heeft gekozen voor afslaan;
- tekens op het wegdek anders aanduiden;
- er een brede middenberm ligt.

Tijdens of voordat u links afslaat kunnen zich de volgende problemen voordoen met tegenliggers die ook linksaf willen:

- ze blokkeren uw doorgang als ze vanwege de drukte halverwege het afslaan blijven steken;
- ze kunnen u het zicht ontnemen op rechtdoorgaande tegenliggers als ze voor u langs gaan;
- ze brengen u en zichzelf in verlegenheid als ze niet duidelijk aangeven of ze voor of achter u langs gaan.

9.6   Inhalen

inhalen of voorbijgaan

Hoewel die twee woorden helemaal niet op elkaar lijken, heeft menigeen toch de neiging ze in betekenis met elkaar te verwarren. Inhalen gebeurt door rijdende bestuurders onderling. Obstakels die stilstaan kunt u niet inhalen.
Die gaat u voorbij. Obstakels zijn meestal geparkeerde voertuigen, maar kunnen ook containers, afzettingsmiddelen en andere objecten zijn.

Als u obstakels voorbij rijdt, waakt u ervoor fietsers en snorfietsers niet in gevaar te brengen. In het belang van een vlotte doorstroming is enige hinder voor de een of de ander vaak niet te voorkomen.

Passeer obstakels niet te snel of te krap. Houd er rekening mee dat tegenliggers de neiging hebben door te rijden, zeker wanneer het verschil in afstand tot het obstakel niet duidelijk is. Aan het voorbijgaan van een obstakel gaat vaak een belangrijke zijdelingse verplaatsing vooraf. Daarom geeft u steeds tijdig richting aan.

richting aangeven
Vóór het inhalen moet u richting aangeven. Dat moet u trouwens bij elke belangrijke zijdelingse verplaatsing. Zelfs het inhalen van een fietser op een smalle weg of het voorbijgaan van een geparkeerde auto kan een belangrijke zijdelingse verplaatsing zijn.

als regel links inhalen
Als regel haalt u altijd links in. Die afspraak maakt het voor ander verkeer mogelijk veilig naar rechts te gaan en daar te blijven rijden, zonder rekening te hoeven houden met iemand die rechts inhaalt.

rechts inhalen is toegestaan
- vlak voor en op rotondes;
- als u zich rechts van een blokmarkering bevindt;
- als in file wordt gereden;
- als het in te halen voertuig voorgesorteerd heeft om links af te slaan en richting naar links aangeeft;
- als het in te halen voertuig een tram is.

Denk erom dat fietsers en snorfietsers andere bestuurders overal rechts mogen inhalen.

Als de ruimte voor rechts inhalen erg krap is, kunt u het beter niet doen. U moet uw aandacht te zeer richten op die krappe ruimte, waardoor u onvoldoende aandacht heeft voor de algehele verkeerssituatie.

in deze situatie haalt u rechts in

vlak voor en op een rotonde mag u rechts inhalen

een tram wordt over het algemeen rechts ingehaald

We behandelen het inhalen uitgebreid. Inhalen, op welke weg dan ook, is altijd een handeling met een risicofactor. Inhalen is in elk geval verboden, daar waar gevaar of hinder voor andere weggebruikers kan ontstaan. Realiseer u dat u voor het uitvoeren van een inhaalmanoeuvre meestal op de weghelft van de tegenliggers komt.

tegemoetkomend verkeer

Het is onder andere de vaak niet te schatten snelheid van tegemoetkomend verkeer dat inhalen zo gevaarlijk maakt. Daarom moet u er zeker van zijn dat de weg over een grote afstand vrije ruimte heeft voor u aan inhalen begint. Maar voor een veilige inhaalmanoeuvre, is natuurlijk meer nodig dan alleen maar vrije ruimte.

Op een enkelbaansweg kunt u tegenliggers verwachten en daar is inhalen altijd een riskante zaak. De lengte van vrachtauto's maakt dat inhalen langer duurt, dus meer ruimte vraagt. Tenzij u met een groot verschil in snelheid kunt inhalen, is het verstandiger op uw weghelft te blijven.

inhaalafstand

Als het snelheidsverschil tussen het inhalende voertuig en het voertuig dat wordt ingehaald klein is, zal de inhaalmanoeuvre langer duren en heeft u meer afstand nodig om de inhaalmanoeuvre uit te voeren. Berekend is dat bij een snelheidsverschil van 10 km/u de benodigde inhaalafstand 6 promille bedraagt van de snelheid van het inhalende voertuig. Bij een verschil van 20 km/u is het 3 promille en bij een verschil van 60 km/u is het nog maar 1 promille. Als u met 80 km/u een voertuig inhaalt dat 70 km/u rijdt heeft u dus nodig: 6 promille van 80 km is 480 meter. In onderstaand overzicht ziet u bij verschillende snelheden de afstanden die u nodig hebt om in te halen.

snelheid van het inhalende voertuig	benodigde inhaalafstand in meters						
• 120 km/u	105	120	145	180	240	360	720
• 110 km/u	110	135	165	220	330	660	
• 100 km/u	120	150	200	300	600		
• 90 km/u	135	180	270	540			
• 80 km/u	160	240	480				
• 70 km/u	210	420					
• 60 km/u	360						
	50 km/u	60 km/u	70 km/u	80 km/u	90 km/u	100 km/u	110 km/u
	snelheid van het voertuig dat wordt ingehaald						

u heeft de situatie totaal verkeerd beoordeeld, rem onmiddellijk af en ga achter de rode auto rijden

Let op of u voldoende snelheid kunt maken, zonder de maximumsnelheid te overschrijden. U geeft pas richting aan als u aan de inhaalmanoeuvre begint. Wijk ruim vóór het inhalen uit zodat u eerst nog even rechtuit rijdt voor u het in te halen voertuig bereikt.

U bent dan tijdig zichtbaar voor de bestuurder van het in te halen voertuig. In het algemeen is het verboden voertuigen in te halen als daardoor gevaar of hinder kan ontstaan voor de overige bestuurders. Voordat u gaat inhalen, gaat u na of de weg breed genoeg is en of de toestand van het wegdek inhalen verantwoord maakt en of u over voldoende ruimte kunt beschikken.

Liggen er tussen twee rijstroken of op de wegas twee strepen, een onderbroken en een doorgetrokken streep, dan mag u inhalen als de onderbroken streep aan uw kant van de wegas of doorgetrokken streep ligt.

nu mag u niet de zwarte auto inhalen; de doorgetrokken streep ligt immers aan uw kant

niet inhalen op kruispunt

Op plaatsen met een slecht uitzicht waar, vanuit voor u links gelegen zijwegen, andere bestuurders rechts uw weg opdraaien en dus van het ene moment op het andere tegemoetkomend verkeer wordt, kunt u beter niet inhalen. Stel dat ze de weg opdraaien, terwijl u voluit aan het inhalen bent!

kijk voordat u rechtsaf slaat ook naar rechts of het kruispunt echt vrij is, want sommige bestuurders zijn zo gehaast dat ze op kruispunten toch inhalen

inhaal-checklist

Inhalen is één van de moeilijkste en gevaarlijkste manoeuvres bij het autorijden. Om die goed te leren, moet u niet alleen weten waar en wanneer u wel en niet mag inhalen, u moet vooral inzicht hebben in wat er kan gebeuren.
U houdt steeds zijdelings voldoende afstand (minimaal 1,5 meter) ten opzichte van fietsers en voetgangers.

Bij inhalen moet u de volgende zaken aandacht geven:
- Houd voldoende afstand tot uw voorligger (ongeveer twee seconden rijtijd, dat wil zeggen bij 50 km/u ongeveer 30 meter en bij 100 km/u ongeveer 60 meter), zodat die u goed kan zien.

- Ga na of er vóór uw voorligger voldoende vrije ruimte is en er geen tegemoetkomend verkeer nadert. Bedenk hierbij dat ook u -net als de meeste bestuurders- moeilijk kunt inschatten hoe snel een tegemoetkomende auto rijdt.

U kunt dan ook op enkelbaans wegen beter nièt gaan inhalen. Alleen als uw voorligger heel langzaam rijdt, bijvoorbeeld 65 km/u en u mag daar 80 km/u rijden, dan is inhalen zinvol. In alle andere gevallen kunt u beter niet gaan inhalen.

- Ga na of er misschien juist iemand bezig is u in te halen, door eerst in de binnenspiegel, daarna in de linkerbuitenspiegel en over de linkerschouder te kijken.
  Wordt u zelf niet ingehaald, dan kun u doorgaan met de voorbereidingen.

- Kijk weer naar voren en geef dan, als de situatie inhalen nog steeds toelaat, richting aan en ga direct in een vloeiende lijn naar links.

  Wijk voldoende uit en ga snel voorbij, zodat de duur van de inhaalmanoeuvre beperkt blijft. Zodra u naar links bent gegaan, zet u de richtingaanwijzer weer uit. U moet uw snelheid al gaan verhogen als u besluit in te halen en u dus nog achter het in te halen voertuig rijdt.

- Ziet u het ingehaalde voertuig weer in de binnenspiegel, geef dan richting aan naar rechts en ga in een vloeiende lijn weer naar rechts.

  Binnen de bebouwde kom moet u wel eens eerder naar rechts terug. Kijk dan, voor u naar rechts gaat, even over de rechterschouder om te kijken of u al wel naar rechts kunt zonder die ander te hinderen.

dode hoek
Als uzelf wil gaan inhalen, moet u op achteropkomend verkeer letten dat uw voertuig wilt gaan inhalen en op een voorligger die misschien óók wil inhalen.

Om het verkeer dat uw voertuig wil inhalen tijdig te zien, kijkt u eerst in de binnenspiegel, daarna in de buitenspiegel en over uw linkerschouder.
Als u dat laatste niet doet, kunt u een auto links van u gewoon "missen", omdat die in een "dode hoek" zit die u met spiegels niet kunt overzien.

u ziet de auto
goed naderen

hij komt zo de
"dode hoek"
binnen rijden

en hij zit nu
juist voorbij de
de "dode hoek"

op uw beurt wachten

Bevindt u zich achter een rij andere motorvoertuigen, die ook
wilen inhalen, dan is het veiligste inhaalgedrag: het voorste
voertuig haalt telkens het eerste in.

inhaalverbod

Op plaatsen waar inhalen gevaarlijk is, staat vaak het bord
'verboden in te halen'. Motorvoertuigen mogen elkaar dan niet
inhalen of vrachtauto's mogen geen motorvoertuigen inhalen.

F1   F2   F3   F4

Het verbod om in te halen zult u vaak aantreffen:
* vóór onoverzichtelijke bochten en hellingen;
* vóór onoverzichtelijke kruispunten;
* vlak vóór overwegen die alleen maar met een knipperlicht
  installatie zijn beveiligd;
* in de nabijheid van een zebrapad.
  Haal op enkelbaanswegen niet in ter hoogte van een geel
  knipperlicht. Dat geel knipperlicht waarschuwt u voor een
  gevaarlijke situatie.

*hier geldt een inhaalverbod voor motorvoertuigen om elkaar
onderling in te halen*

*u mag dus
ook geen
motorrijder
inhalen maar
andersom mag
ook niet*

richting aangeven naar rechts

Na het inhalen bent u verplicht richting aan te geven vlak voordat u naar rechts gaat. Ga na een inhaalmanoeuvre echter niet te vroeg naar rechts.

Als u het ingehaalde voertuig snijdt, zit u veel te dicht voor het ingehaalde voertuig. Bij onverwachte gebeurtenissen die plotseling remmen noodzakelijk maken, volgt een kop/staartbotsing.

*kijk goed in de
spiegels, geef
richting aan
maar ga niet te
vroeg naar
rechts*

inhaalmanoeuvre afronden

Uw inhaalmanoeuvre moet volledig zijn afgerond:
- ruim voor een onoverzichtelijke situatie;
- vóór het punt waar een inhaalverbod van kracht wordt;

- op een enkelbaansweg ruim vóór een aan de overkant gelegen parkeerstrook met geparkeerde voertuigen;
- op een enkelbaansweg ruim vóór het begin van een doorgetrokken streep;
- op een enkelbaansweg ruim vóór een aan de overkant gelegen benzinestation.

inhalen op autosnelwegen

Op de autosnelweg kàn veilig worden ingehaald. Als u op een autosnelweg aan een inhaalmanoeuvre begint, realiseer u dan dat:

- de manoeuvre niet langer mag duren dan noodzakelijk is;
- de maximumsnelheid niet mag worden overschreden;
- het inhalen soms te lang kan duren.

9.7 Invoegen

lange invoegstrook

Als u een autoweg of autosnelweg wilt oprijden, moet u gebruik maken van de aanwezige invoegstrook. Op die strook moet u snelheid maken om te kunnen invoegen. U moet bij het invoegen de bestuurders op de doorgaande rijbaan voor laten gaan. Op de doorgaande rijbaan gaat het verkeer soms naar links om u gelegenheid te geven in te voegen, maar dat is niet verplicht. Reken er dus niet op.

voeg niet te vroeg in, ook al komt er geen verkeer aan: u moet gebruik maken van een groot gedeelte van de invoegstrook door de verkeersdrukte is het nodig om nu al in te gaan voegen, te ver doorrijden wekt irritatie op bij andere bestuurders

korte invoegstrook

Als u met een korte invoegstrook te maken hebt en niet voldoende snelheid kunt maken om tussen het rijdende verkeer op de autoweg of autosnelweg in te voegen, stopt u aan het begin van de invoegstrook.
U trekt op zodra u in uw linkerspiegel een opening in de verkeersstroom ziet opdagen.

aan het einde van een korte invoegstrook kunt u geen snelheid meer maken

vluchtstrook

U mag bij het invoegen niet op de vluchtstrook komen! Het mag wel in een noodsituatie bijvoorbeeld wanneer bestuurders op de doorgaande rijbaan u geen enkele kans geven om in te voegen.

nu is het absoluut verboden door te rijden en de vluchtstrook te gebruiken om verderop in te voegen

richting aangeven

Bij het invoegen is het gebruik van de richtingaanwijzer verplicht. U gebruikt de richtingaanwijzer bij het invoegen pas op het moment dat u ook daadwerkelijk naar links gaat om in te voegen. Gebruik de richtingaanwijzer niet om ruimte af te dwingen!

pas als u daadwerkelijk invoegt, geeft u richting aan

als een ander wil invoegen wijkt u verantwoord uit naar de linkerrijstrook

kijk wel heel goed of uzelf niet wordt ingehaald

als de linkerrijstrook niet vrij is, mindert u zo nodig snelheid en laat u bestuurders van rechts invoegen

invoeg-checklist

Bij het invoegen moet u voor uzelf altijd aan de volgende punten aandacht geven:

• Vorm u, terwijl u nog op de toeleidende weg of op de oprit bent, een beeld van de verkeerssituatie op de weg waar u wilt invoegen:
hoe druk is het? Zijn er voldoende grote "gaten" in de verkeersstroom? Wanneer er voldoende ruimte is, rijdt u door, anders stopt u aan het begin van de invoegstrook. Aan het eind van de invoegstrook komt u nauwelijks meer weg en is het bovendien gevaarlijk.

- Maak op de invoegstrook voldoende snelheid en pas uw snelheid aan, aan die van het verkeer op de doorgaande rijbaan. Rij rechts op de invoegstrook.
Wanneer het voor een vlotte verkeersdoorstroming bevorderlijk is, mag u bestuurders op de doorgaande rijbaan rechts inhalen.

- Beoordeel, door in de spiegels, opzij èn over de schouder te kijken of u zonder gevaar of onnodige hinder kunt invoegen. Kijk op wegen met tegemoetkomend verkeer ook naar voren of er geen inhalend voertuig op uw weghelft zit!
Als u kunt invoegen, geeft u richting aan en voegt u in een vloeiende lijn in.

- Zet uw richtingaanwijzer uit zodra u op de rechterrijstrook rijdt.

- Als u naar de tweede strook wilt, doe dat dan liever niet in één keer. Achteropkomend verkeer denkt, dat uw richtingaanwijzer nog aanstaat van het invoegen en houdt er misschien geen rekening mee dat u meteen naar de linkerrijstrook gaat om in te halen.

aandachtspunten
Als u wilt invoegen houdt u er rekening mee dat:
- snelheden van voertuigen onderling aanzienlijk kunnen verschillen;
- gehaaste achteropkomende bestuurders u nog even snel gaan inhalen en invoegen, op het moment dat u zelf met invoegen begint.

u laat u niet verrassen door gehaaste invoegers achter u

Tijdens de invoegmanoeuvre:
- probeert u stilstaan te voorkomen;
- past u zoveel mogelijk uw snelheid aan, aan de bestuurders op de doorgaande rijbaan;
- geeft u niet te vroeg richting aan;
- voegt u in volgens de regels.

U let erop:
- of de doorgaande rijbaan vóór u vrij is;
- of de rijstrook naast u vrij is;
- of andere bestuurders naar de linkerrijstrook gaan;
- of achteropkomende bestuurders van de linker naar de rechterrijstrook gaan.

blokmarkering
Rijdende rechts van de blokmarkering mag u tijdens het invoegen inhalen:
- als u geen gevaar of hinder veroorzaakt;
- als uw snelheid dat rechtvaardigt;
- als dat nodig is voor de vlotte doorstroming van het verkeer;
- als u erop bedacht blijft dat voertuigen plotseling nog van rijstrook veranderen.

9.8   Uitvoegen

Bij het uitvoegen moet u gebruik maken van de gehele uitrijstrook, maar u mag de vluchtstrook niet gebruiken! Geef richting aan ter hoogte van het bord dat de bestemming voor rechtdoor aangeeft. Op autosnelwegen zo'n 300 meter voor de afslag.

uitvoegstroken verschillen
Een goed gebruik van de uitrijstrook heeft als resultaat, dat het verkeer op de doorgaande rijbaan ongehinderd door kan rijden. Ook is het noodzakelijk vast te stellen dat elke uitvoegstrook een eigen karakter heeft (lengte, breedte en scherpte van de bocht).

snelheid verminderen
Het daadwerkelijke uitvoegen begint pas op de uitrijstrook.

Minder hoofdzakelijk dáár pas uw snelheid zodat het achteropkomende verkeer op de rijbaan zonder veel gas terug te moeten nemen door kan rijden.

Alleen als uitrijstroken kort zijn, mindert u op de doorgaande rijbaan snelheid door het gas los te laten.

indien nodig mindert u op de doorgaande rijbaan snelheid, uitsluitend door zo geleidelijk mogelijk gas terug te nemen

u zorgt dat de achteropkomende vrachtauto- bestuurder zo min mogelijk hinder van uw manoeuvre ondervindt

Als u uitvoegt, moet u er op bedacht zijn, dat gehaaste bestuurders u nog inhalen en op de laatste meters van de uitrijstrook vóór u uitvoegen.

rechts inhalen

Eenmaal op de uitrijstrook, langs de blokmarkering, mag u langzaam rijdende bestuurders op de doorgaande rijbaan rechts inhalen. Doe dat alleen als dat nodig is voor een vlotte doorstroming van het verkeer en als u niemand hindert of in gevaar brengt.

nu is rechts inhalen toegestaan, houd wel altijd rekening met een nog onverwachts uitvoegende bestuurder

9.9   Weven

invoegers laten uitvoegers voorgaan

Wettelijk is het zo geregeld dat invoegers en uitvoegers elkaar voor moeten laten gaan, maar die formulering kan tot aarzeling en verwarring leiden.

Waar invoegstrook en uitrijstrook samengaan, ontstaat een weefpatroon van rijbewegingen. Omdat invoegers langzamer rijden en meer ruimte en overzicht hebben, is het veiliger -en daarom vanzelfsprekend- dat zij de uitvoegers voor laten gaan.

hier zijn beide bestuurders gelijk aan elkaar: ze moeten elkaar voor laten gaan; het veiligste is dat de uitvoegende bestuurder wordt voorgelaten

Of weven op een gecombineerde invoeg/uitrijstrook goed mogelijk is, hangt af van:
- het kijkgedrag;
- de snelheid waarmee wordt gereden;
- het moment van richting aangeven;
- het aanhouden van voldoende volgafstand.

richtingaangeven met onderbreking
Als u op een lange gecombineerde invoeg/uitrijstrook rechtsaf wilt slaan, geeft u gedurende de hele manoeuvre richting aan, maar halverwege onderbreekt u kort het richting aangeven en geeft u daarna nogmaals richting aan.
Andere weggebruikers weten dan zeker dat u rechtsaf gaat en niet alsnog invoegt.

u moet worden voorgelaten door de andere bestuurder, die van rijstrook wil wisselen maar in deze situatie kan het veiliger zijn om eerst hem voor te laten gaan

9.10   Ritsen

telkens een voertuig laten invoegen
Ritsen is de afspraak dat elke bestuurder op de doorgaande rijstrook telkens één bestuurder van de gestremde rijstrook voor laat gaan.
Als u zelf de doorgaande rijstrook volgt, zoekt u oogcontact en maakt u ruimte vrij om te ritsen. U laat dan zelf een bestuurder invoegen.

Ritsen bevordert de doorstroming van het verkeer op plaatsen waar:

- de rijstrook eindigt;
- een rijstrook door een obstakel of rijstrooksignalering geblokkeerd is.

aandachtspunten
Voordat u van rijstrook wisselt:

- observeert u het achteropkomend verkeer;
- overtuigt u zich ervan dat er geen ander voertuig naast u rijdt op de rijstrook die u wilt gaan volgen;
- geeft u tijdig richting aan.

Doorrijden tot het einde van de geblokkeerde rijstrook en daar invoegruimte opeisen leidt tot irritaties. Tijdig ritsen kan die irritaties voorkomen.

overtuig u ervan dat er geen ander voertuig naast u rijdt, voordat u van rijstrook wisselt

9.11   Bijzondere verrichtingen

algemeen
Tot de vaardigheden van het autorijden behoort het kunnen uitvoeren van allerlei bijzondere verrichtingen, zoals achteruitrijden, keren, in file parkeren en wegrijden vanaf een helling. Voor die verrichtingen is het nodig dat u de auto heel goed beheerst en dat u, voordat u begint maar ook tijdens de verrichting, iedereen voor laat gaan.

recht achteruitrijden

Achteruitrijden vergt heel wat vaardigheid en inzicht. U moet bij het achteruitrijden iedereen voor laten gaan en voorkomen dat iemand uit moet wijken of stoppen.

Dit betekent dat u beter niet achteruit kunt gaan rijden op drukke straten en wegen.

Als u achteruit wilt rijden, stopt u ongeveer 30 cm naast de trottoirrand.

Schakel in de achteruit en kijk rechts over uw schouder naar achteren.

Draai uw bovenlichaam zover naar rechts dat u uw rechterarm over de rugleuning van de stoel naast u kunt leggen.

Grijp met uw linkerhand het stuur bovenaan vast. Laat de koppeling langzaam opkomen en geef een beetje gas. Blijf kijken, niet alleen naar achteren, maar zo nu en dan ook naar links en naar rechts en naar voren.

Stop, zodra er verkeer is dat last van u kan hebben en ga pas weer verder zodra u dat verkeer voor hebt laten gaan.

bocht achteruitrijden

Wanneer u achteruitrijdend de bocht om wilt, bijvoorbeeld als u zo wilt keren of achteruit een inrit in wilt rijden, blijf dan langzaam achteruitrijden tot u de hele bocht kunt zien door de zijruit van de auto.

De achterwielen bevinden zich dan op gelijke hoogte met het begin van de bocht. Voordat u instuurt om de bocht te nemen, kijkt u vooruit en opzij.

De neus van de auto zal uitzwaaien bij het rijden van de bocht en dat kan ander verkeer hinderen. Is er geen ander verkeer, dan kunt u beginnen met indraaien.

Zodra u de bocht door bent, stuurt u snel weer terug. Blijf achterom gedraaid zitten tot de auto echt gestopt is.

Het uitvoeren van de achteruit rijmanoeuvre gaat gemakkelijker en ook veiliger als u langzaam rijdt en met slippende koppeling.

voordat u instuurt kijkt u naar voren en over de linker schouder naar achteren

keren

Wanneer u keert, moet u iedereen voor laten gaan. U kunt dus pas keren wanneer er geen ander verkeer is en dat ook niet te verwachten is. Nadert er toch verkeer terwijl u bezig bent, stop dan even met de verrichting. Als de rijbaan breed genoeg is en u geen ander verkeer hoeft voor te laten, mag u in één vloeiende beweging keren.

Meestal is de weg smal en kunt u niet in één beweging keren, u zult dan moeten 'steken'. Dat is heen en weer rijden tot u ruimte hebt. Let er ook hier weer op dat u iedereen voor laat gaan. Wees niet zo verdiept in het keren dat u geen oog meer hebt voor wat er om u heen gebeurt.

Bedenk dat het, net als bij het achteruitrijden, allemaal veel gemakkelijker en veiliger gaat wanneer u langzaam rijdt, eventueel met slippende koppeling. Let erop dat u bij het heen en weer steken van de auto het stuur al de andere kant uitdraait nog voordat de wielen de trottoirband raken.

let op obstakels tijdens het keren

Overigens wanneer de wielen de trottoirrand raken, steekt de neus van de auto zelf of de achterkant een eindje over het trottoir heen, zodat die dan bijvoorbeeld een lantaarnpaal, boom of vuilnisbak kan raken. Kies dus een plaats uit waar niet alleen de rijbaan vrij is, maar ook het trottoir of de berm.

voorkom dat de spoiler of bumper het trottoir raakt

achteruit parkeren op een aangegeven plaats
Tijdens het rijexamen kan het achteruit parkeren bestaan uit:
* achteruit parkeren in een file van geparkeerde auto's of
* achteruit parkeren in een parkeervak.

file parkeren
U kunt op twee manieren file parkeren: vooruit en achteruit.
Vooruit in file parkeren vraagt een ruimte die twee keer zo groot
is als de lengte van uw auto. Om achteruit in file te kunnen
parkeren, heeft u aan anderhalve keer de lengte van uw auto
genoeg.
U gaat op zo'n halve meter afstand naast de auto staan
waarachter u wilt parkeren. U schakelt in de achteruit en rijdt,
na rond gekeken te hebben, heel langzaam naar achter.
Als uw auto ongeveer een halve meter achter de andere auto
uitsteekt, draait u scherp in door helemaal naar rechts te
sturen.
Als u, naar uw rechter koplamp kijkend, evenwijdig aan de
wegas zit, draait u het stuur weer helemaal terug. Let er wel op
dat bij elke draai aan het stuur de neus van de auto uitzwaait.
Zodra de auto evenwijdig aan de trottoirrand staat, stopt u en
heeft u in file geparkeerd. Stop ook als de voor- of achterband
de trottoirrand of put raakt om beschadiging van de wielen te
voorkomen.

parkeren in een parkeervak

U stopt ongeveer twee vakken voorbij het vak waar u de auto in moet zetten. De auto moet met een tussenruimte van ongeveer 1,5 meter evenwijdig staan aan de denkbeeldige rijbaankant.

Nadat u heeft gekeken of u niemand hindert, rijdt u langzaam achteruit tot de achteras van uw auto zich op een zodanig punt bevindt dat door sterk insturen geheel in het betreffende vak kan worden gereden.
Na het indraaien tijdig terug sturen zodat de auto helemaal recht in het vak komt te staan.

u moet voordat u de manoeuvre begint kijken of u iemand hindert

wegrijden op een helling

Wanneer u op een helling gedwongen stil komt te staan, rolt de auto achteruit als u de rem loslaat om gas te geven. Om dat te voorkomen gebruikt u de handrem.

Zodra u stilstaat, trekt u de handrem aan. Als u weer wilt gaan rijden, laat u, na de eerste versnelling te hebben ingeschakeld, de koppeling een beetje opkomen.
Geef gelijktijdig een beetje gas, net genoeg om te voelen dat de auto al vooruit wil. Zet dan de handrem los, laat de koppeling verder opkomen en geef gas. Let ondertussen wel op uw voor- en achterliggers en blijf niet alleen maar bezig met uw eigen hellingproef.

remproef

U moet uw auto soepel en vlot tot stilstand kunnen brengen
door middel van de rem zonder dat de wielen er door
geblokkeerd raken en zonder dat de motor afslaat. Let op
achteropkomend verkeer en rem gedoseerd.

10 Stilstaan, parkeren, file, pech, slepen, ongevallen

10.1 Stilstaan of parkeren

Als u aan het verkeer deelneemt, zult u ook regelmatig moeten stoppen. Dit kan bijvoorbeeld het geval zijn bij een verkeerslicht, om voorrang te verlenen of omdat er een file staat. Verkeersomstandigheden of de aanwezigheid van andere weggebruikers kunnen het noodzakelijk maken dat u moet stoppen. Eigenlijk kunt u zeggen dat u al deze gevallen uw voertuig niet vrijwillig tot stilstand brengt.

wat is stilstaan ?
Wanneer u wel vrijwillig uw voertuig tot stilstand brengt, noemen we dat stilstaan. Bij het stilstaan kan onderscheid worden gemaakt tussen het voor korte tijd stilstaan en het blijven stilstaan voor langere duur. In de praktijk wordt onder het stilstaan voor korte tijd verstaan: stilstaan voor
- het onmiddellijk in- of uitstappen van passagiers, of;
- het onmiddellijk laden of lossen van goederen.
Voorwaarde voor dit stilstaan is dat de chauffeur in of bij het voertuig aanwezig is en dat men niet langer stilstaat dan strikt nodig is.

stilstaan is het vrijwillig voor "kortere" tijd tot ilstand brengen an uw voertuig, even stil gaan staan om oederen te laden f te lossen of om een passagier ı- of uit te laten stappen, mag hier wel

wat is parkeren ?

Alle andere vormen van vrijwillig stilstaan noemen we parkeren. Parkeren is dus uw voertuig op een parkeerplaats of voor uw huis neerzetten en daar achter laten.

Maar onder parkeren wordt ook verstaan het even stilstaan voor een winkel om een boodschap te doen of in de auto blijven zitten om op een passagier te wachten.

waar stilstaan ?

Als regel moet u stilstaan of parkeren op de daarvoor bestemde plaatsen, zoals parkeerstroken en parkeerplaatsen. Verder moet u in beginsel aan de rechterkant van de rijbaan stilstaan of parkeren.

Links mag ook, maar doe dit alleen als het rechts niet of niet goed mogelijk is door te weinig ruimte, te veel andere geparkeerde voertuigen, tramrails, enz.

Op eenrichtingswegen staat men vaak links stil of geparkeerd. Dat kan daar ook gemakkelijk en veilig omdat u daar, met uitzondering van fietsers en bromfietsers, geen tegemoetkomende bestuurders hebt.

verboden door borden

Op een groot aantal plaatsen geldt een verbod om stil te staan of een verbod om te parkeren. Bij een verbod om stil te staan mag u nooit uw voertuig vrijwillig tot stilstand brengen, ook niet voor korte tijd.

Bij een parkeerverbod mag u alleen even stilstaan om passagiers te laten in- of uitstappen of om goederen te laden of te lossen. U mag er dus niet blijven staan.

E1

Vaak wordt een parkeerverbod of een verbod om stil te staan aangegeven door een bord (bord E1 of E2). Aan de kant van de weg waar zo'n bord is geplaatst, mag u niet parkeren of stilstaan. Ook niet in de berm. Treft u bij het bord een onderbord met een pijl, dan geldt het verbod alleen in richting die de pijl aangeeft.

E2

u mag ook niet in de berm parkeren

In winkelstraten of op smalle wegen geldt soms een wisselend verbod om stil te staan of te parkeren. Onder of op het verbodsbord ziet u dan de cijfers 1-15 of 16-31. Dit betekent dat u òf de eerste òf de tweede helft van de maand niet mag parkeren of stilstaan aan de kant van de weg waar het bord is geplaatst.
Naast de plaatsen aangegeven door de borden E1 en E2, zijn er nog meer plaatsen waar u niet mag stilstaan of parkeren.

parkeerhavens uitgezonderd
Als ergens een verbod om stil te staan of een parkeerverbod geldt en er liggen parkeerhavens naast die kant van de rijbaan, dan gelden die borden uiteraard niet voor die parkeerhavens, maar alleen voor de gedeelten tussen de parkeerhavens.

van de éérste tot en met de vijftiende van elke maand, mag u aan de rechterkant niet parkeren

10.2   Stilstaanverboden

geen gevaar of hinder veroorzaken

Het is met het oog op de verkeersveiligheid of een vlotte doorstroming verboden stil te (gaan) staan op plaatsen zoals hellingen, bochten, onder viaducten, enz..

vlak voor een onoverzichtelijke bocht mag u niet stilstaan

niet op weggedeelten voor andere weggebruikers

U mag niet stilstaan op weggedeelten die voor andere weggebruikers zijn bestemd. Dus niet op een voetpad, trottoir, fietspad, fiets-/bromfietspad of ruiterpad.

kruispunt, overweg

U mag ook niet stilstaan op een kruispunt of een overweg.

oversteekplaats

U mag ook niet óp een oversteekplaats of binnen 5 meter er vóór of vóórbij daarvan stil gaan staan. Voetgangers en fietsers of snorfietsers kunnen dan òf niet goed oversteken òf hebben dan onvoldoende uitzicht. Vooral kinderen hebben veel last van dat gebrek aan uitzicht.

fietsstrook

U mag niet stilstaan op een fietsstrook. Evenmin op de rijbaan naast een fietsstrook. U zou ook daar andere bestuurders onnodig hinderen.

u mag niet stilstaan op of binnen 5 meter voor of voorbij een oversteekplaats

u mag niet stilstaan op een fietsstrook die gemarkeerd is met een doorgetrokken streep...

...ook niet op een fietsstrook die met een onderbroken streep is gemarkeerd

u mag ook niet stilstaan op de rijbaan naast een fietsstrook

en ook op een busstrook of busbaan mag u niet stilstaan

busstrook/busbaan
U mag niet stilstaan op de rijbaan naast een busstrook en ook niet op de busstrook zelf.

op de rijbaan naast een busstrook of busbaan mag u niet stilstaan

L3

bushalte
Ook bij een bushalte mag u over de gehele lengte van de blokmarkering niet stilstaan. Is er geen blokmarkering dan geldt hetzelfde binnen een afstand van 12 meter voor en voorbij het bushalte-bord (L3). U zou anders de bus hinderen.
U mag bij een bushalte wel even passagiers laten in- of uitstappen, mits de bus maar niet gehinderd wordt. Zodra u de bus ziet naderen, rijdt u weg.

gele doorgetrokken streep
Langs een gele doorgetrokken streep mag u niet stilstaan.

langs een gele doorgetrokken streep mag u niet stil gaan staan

tunnels

In tunnels mag u niet stilstaan.

10.3   Parkeerverboden

niet op andermans parkeerplaats

Het spreekt voor zich dat u natuurlijk niet parkeert op laad- en loshavens en op parkeerplaatsen die bedoeld zijn voor een andere voertuigcategorie, bijvoorbeeld voor taxi's en vrachtauto's of voor bepaalde bestuurders zoals gehandicapten en vergunninghouders. Parkeren is natuurlijk ook verboden op alle plaatsen waar u niet mag stilstaan.

u mag niet parkeren op een parkeerplaats die bestemd is voor anderen

ɔm iemand in of uit te laten stappen mag u hier wel even stil gaan staan

bij kruispunten

Binnen 5 meter vanaf de hoek van een straat is parkeren eveneens verboden, omdat ander verkeer dan niet voldoende zicht heeft op de kruisende weg en omdat een daar geparkeerde auto het voorsorteren bemoeilijkt.

gele onderbroken streep

Wanneer er aan de kant van de rijbaan een gele onderbroken streep is aangebracht, dan mag u daarlangs niet parkeren. U mag er wel stilstaan voor het laden of lossen en voor het onmiddellijk in of uit laten stappen van passagiers.

stilstaan voor het laden en lossen van goederen of om iemand in- of uit te laten stappen, mag hier wel

inrit/uitrit

U mag niet voor een inrit- of uitrit parkeren.

erven

Binnen erven mag alleen geparkeerd worden op eigen terrein, bijvoorbeeld onder een carport en op daarvoor bestemde parkeerplaatsen die met een "P" zijn aangegeven.

voorrangsweg buiten de bebouwde kom

Evenmin mag u parkeren op de rijbaan van een voorrangsweg buiten de bebouwde kom.

buiten de bebouwde kom mag u niet parkeren op de rijbaan van een voorrangsweg

in de berm mag het hier wél

dubbel parkeren

U mag niet dubbel parkeren; ook niet naast een auto, die op een parkeerplaats of -strook naast de rijbaan staat geparkeerd.

u mag niet dubbel parkeren; even snel iets afgeven is toegestaan als u daardoor anderen niet onnodig lang hindert

parkeer(schijf)zone

Er zijn ook parkeerzones, waar u uitsluitend met een parkeerschijf achter uw voorruit een bepaalde tijd mag parkeren. Op het bord bij de parkeerschijfzone staat hoe lang u mag parkeren. In de parkeerschijfzone mag u alleen parkeren op parkeerplaatsen en langs de blauwe streep. Op plaatsen met een blauwe streep moet u de parkeerschijf gebruiken. Op aangegeven parkeerplaatsen (zonder blauwe streep) is de parkeerschijf niet nodig.

binnen de zone alleen parkeren op daarvoor bestemde parkeerplaatsen

parkeermeter

Een ander voorbeeld is de bekende parkeermeter, waar u tegen betaling een bepaalde tijd mag parkeren.
Deze werkt als een klok en laat, zodra de parkeertijd verstreken is, een rode schijf of streep zien. Bij de parkeermeter mag u maar een beperkte tijd parkeren. Bijvullen mag niet.

parkeerautomaat

Ook is er de parkeerautomaat midden op een parkeerterrein. Als u aankomt, plaatst u uw auto ergens op het terrein, binnen de vakken. U gaat dan naar de automaat. Daarop is te zien hoeveel elk half uur of elk uur parkeren kost.

U doet er zoveel geld in als u aan parkeertijd denkt nodig te hebben en drukt op een knop.
De automaat print dan een bonnetje uit waarop staat tot hoe laat u mag parkeren. Dat bonnetje legt u zichtbaar achter de voorruit.

parkeergarage

In de grotere steden heeft u ook parkeergarages waar u tegen betaling uw auto kunt achterlaten.

U rijdt uw auto de garage in en ontvangt bij de slagboom een kaart. Bij het wegrijden betaalt u het parkeergeld bij een kassa of aan een automaat.

parkeren op helling

Als u uw auto parkeert op een helling, dan gebruikt u de de handrem en zet u uw auto in de eerste versnelling. Parkeert u uw auto bergafwaarts dan verricht u dezelfde handeling.

foutparkeerders

Toch is het, vooral in de grotere steden, ondanks alle regelingen nog vaak een groot probleem om een parkeerplaats te vinden. De verleiding is dan groot om dubbel te parkeren of te parkeren op verkeersgevaarlijke plaatsen.

Dat kunt u beter niet doen. In de eerste plaats bent u gevaarlijk bezig voor anderen en heeft ook uw eigen auto grote kans beschadigd te worden.

In de tweede plaats treedt de politie tegenwoordig streng op tegen foutparkeerders. Wanneer u verkeerd geparkeerd staat, is de kans groot dat uw auto wordt weggesleept of wordt vastgezet met wielklemmen. Zodra u de zeer hoge onkosten van het wegslepen of van de wielklemmen én een boete hebt betaald, krijgt u uw auto weer terug.

parkeermentaliteit

Het getuigt van inzicht wanneer u, voordat u ergens naar toe gaat, eerst bedenkt of daar wel voldoende parkeerruimte is en of het misschien niet veel gemakkelijker en goedkoper is om met de fiets, de trein, de tram of hoe dan ook te gaan. De beste chauffeur is degene die de auto ook eens kan laten staan.

10.4 File rijden

Zodra op korte afstand voor u filevorming dreigt, doe dan de alarmlichten aan om het achteropkomend verkeer te waarschuwen. Laat ze knipperen tot voertuigen achter u de waarschuwing hebben overgenomen.

Rijdend in een langzaam bewegende file wisselt u niet steeds van rijstrook en volgt u uw voorligger op veilige afstand. U kunt in die rijstrook inhalende motorrijders verwachten. Afhankelijk van de beschikbare ruimte halen motorrijders het ene voertuig links in en het andere rechts. Als u ze ziet aankomen, stuur dan zó dat u de passeerruimte zo groot mogelijk maakt.

u maakt ruimte voor de motorrijder, door iets naar links te gaan

Komt u langdurig stil te staan in de file, zet dan de motor af, blijf om veiligheidsredenen in de auto zitten en luister naar de verkeersinformatie op de radio.

Volg de aanwijzingen op van "fileregelaars". U draagt er dan toe bij dat de file zich sneller oplost of het oponthoud zo gering mogelijk blijft.

10.5   Pech

U mag in noodgevallen uw auto tot stilstand brengen op de vluchtstrook of de vluchthaven. Voeg uit op ongeveer dezelfde wijze als bij uitvoegen via een uitrijstrook.
Blijf -eenmaal uitgestapt- rechts van de auto. Op die plek loopt u het minste risico te worden aangereden.

Als u de alarmlichten laat knipperen, hoeft u de gevarendriehoek niet persé te plaatsen. Het is veiliger dat wél te doen.

De pijl op het hectometerpaaltje naast de vluchtstrook wijst naar de volgende praatpaal. Via de praatpaal kunt u alle soorten hulp inroepen. Niet alleen technische maar ook medische.

Moet u een wiel verwisselen, kijk dan goed waar u de auto neerzet. Plaats nu zeker ook de gevarendriehoek voor extra veiligheid op een afstand van minstens 30 meter. Moet u een van de linkerwielen verwisselen, zet de auto dan zover mogelijk rechts op de vluchtstrook of als de berm een stabiele ondergrond heeft, plaats dan de auto zover in de berm dat alleen de linkerwielen nog op de vluchtstrook staan.

Als u de auto noodgedwongen met alle wielen op de vluchtstrook moet laten staan, besef dan hoe dicht tegen de gevaarlijke rijbaankant u moet werken.

Op de vluchtstrook, waar een berm ontbreekt, een van de linkerwielen verwisselen, is werkelijk levensgevaarlijk.

besef hoe gevaarlijk dicht u tegen de rijbaan werkt

Als u zelf een bestuurder nadert die met pech op de vluchtstrook stilstaat, rijd er dan met aangepaste snelheid en de nodige voorzichtigheid voorbij.

Krijgt u bij donker pech op een plaats waar uw auto een gevaar vormt voor het overige verkeer dan:

- doet u de alarmlichten aan;
- parkeert u op een zo veilig mogelijke plaats;
- plaatst u als extra beveiliging de gevarendriehoek op minstens 30 meter afstand.

parkeer bij donker op een zo veilig mogelijke plaats

plaats voor extra veiligheid ook de gevarendriehoek

10.6   Slepen

Er zijn verschillende vormen van slepen:
- *aanslepen*:
van een ander voertuig waarvan accu of startmotor defect is, de motor op gang brengen;
- *wegslepen*:
een voertuig met pech verwijderen uit de verkeersstroom;
- *slepen*:
een voertuig met pech slepen in de normale verkeersstroom.

voorwaarden om een voertuig te mogen slepen

- de bestuurder van het trekkende voertuig is de hoofdverantwoordelijke;
- beide bestuurders moeten ervaring hebben;
- de tussenafstand mag niet meer dan 5 m bedragen;
- voor het slepen van een personenauto is een sterke sleepkabel voldoende, tenzij de remmen defect zijn;
- de voertuigen worden verbonden via sleepoog of trekhaak;
- beide voertuigen voeren knipperende alarmlichten;
- er wordt met lage snelheid gereden;
- beide bestuurders realiseren zich dat optrekken, vooral tijdens afslaan, veel tijd en ruimte in beslag neemt;
- de bestuurders verlaten de auto(snel)weg bij de eerstvolgende afslag om via provinciale en locale wegen de reparatiewerkplaats te bereiken;
- het trekkende voertuig moet minstens zo krachtig zijn als het te slepen voertuig.

aandachtspunten

- de bestuurder van het te slepen voertuig moet in het bezit zijn van een rijbewijs voor dat voertuig;
- de werking van de rem tijdens het slepen is gering (rembekrachtiging werkt niet);
- het sturen is beduidend zwaarder (stuurbekrachtiging werkt niet);
- de richtingaanwijzers werken niet als de elektriciteit is uitgevallen;
- tekens worden afgesproken om onderling contact te houden.

de bestuurder die wordt gesleept moet ook in de bocht de sleepkabel strak houden

10.7   Gedrag bij ongevallen

nadering ongeval
Nadert u een plaats waar een ongeval heeft plaatsgevonden bedenk dan dat:
- voertuigen voor u plotseling (uit nieuwsgierigheid) snelheid verminderen;
- er voetgangers op of vlak naast het ongeval op de rijbaan kunnen lopen;
- u zich vooral niet laat afleiden van het verkeer, door u te verdiepen in de oorzaak van het ongeval.

eigen veiligheid eerst
Het is van groot belang dat u als u direct of indirect bij een verkeersongeval betrokken raakt, precies weet wat u te doen staat. Allereerst moet u denken aan uw eigen veiligheid. Vervolgens beveiligt u de plek van het ongeval en waarschuwt u het overige verkeer. De kans dat een ongeval tot nieuwe ongevallen leidt, is de eerste minuten het grootst. Daarna waarschuwt u zo snel mogelijk de hulpdienst en verleent u eventueel eerste hulp.

alarmnummer 112
Is er alleen materiële schade of zijn er ook gewonden? In het laatste geval moeten ambulance en politie worden gewaarschuwd. Via het internationale alarmnummer 112, krijgt u direct verbinding met een alarmcentrale. Het is belangrijk dat u alle noodzakelijke informatie kunt geven. Wanneer een ander voor u hulp inroept, laat hem dan u bevestigen dat de alarmering is gelukt.

via het alarmnummer 112 kunt u onmiddellijk de juiste hulp inroepen

noodzakelijke gegevens

Daartoe behoort zeker:

- plaats van het ongeval. Geef een nauwkeurige beschrijving van de locatie, straatnaam, wegnummer, rijrichting (van belang bij wegen met gescheiden rijbanen) en andere herkenningspunten.
- wat er is gebeurd. Wat voor soort ongeval, welke soorten voertuigen zijn erbij betrokken;
- of er gewonden zijn en hoeveel.

Als u zelf betrokken raakt bij een verkeersongeval:

- rijdt u niet door, zelfs niet bij geringe schade;
- geeft u betrokkenen op verzoek uw naam en adres en toont u zonodig uw rijbewijs en het kentekenbewijs van uw voertuig.

parkeerschade

Hebt u een geparkeerd voertuig beschadigd en nadien al een redelijke tijd vergeefs op de eigenaar gewacht, laat dan uw naam en adres bij het beschadigde voertuig achter en meld het ongeval bij de politie.

hulpverlening

Om verantwoord eerste hulp te verlenen, is het noodzakelijk te weten wat u wel en wat u beslist niet moet doen. De benodigde kennis en vaardigheden leert u het beste op een EHBO-cursus. Met een volwaardig EHBO-diploma op zak bent u onderweg in staat doeltreffende eerste hulp te bieden.

Gewoonlijk is er binnen 10 minuten na de melding van een ongeval een ambulance met deskundig personeel ter plaatse. De handelingen die u moet kunnen verrichten, zijn dan ook vooral gericht om zo mogelijk de hulp te bieden die geen seconde uitstel kan dulden.

Deze hulpverlening moet, als het maar enigszins kan, ter plaatse gebeuren, aangezien vaak niet te zien is, welke verwondingen het slachtoffer heeft. Alleen als het slachtoffer zich in een levensbedreigende situatie bevindt, mag u hem verplaatsen.

Bijvoorbeeld bij gevaar voor verbranding, verstikking of verdrinking.

Afhankelijk van de aard van de verwondingen, zullen er mogelijk enkele handelingen moeten worden verricht, die levensreddend kunnen zijn. Dan komt de inhoud van de verbandtrommel van pas.

De eerste taak bij hulpverlening is: nagaan of het slachtoffer bij bewustzijn is. Als een slachtoffer niet reageert op hard knijpen of op andere pijnprikkels, dan verkeert het slachtoffer in bewusteloze toestand.

Bij bewusteloosheid is het van belang dat de ademhaling op gang gehouden wordt.
De ademhaling kan belemmerd worden doordat de luchtwegen door bijvoorbeeld tong, bloed of braaksel zijn afgesloten. Om deze vrij te maken, moet het slachtoffer in de zogenaamde stabiele zijligging gelegd worden.

stabiele zijligging
Leg het slachtoffer op de zij. Kijk of het slachtoffer iets in zijn mond heeft (kauwgom, kunstgebit) dat de ademhaling kan bemoeilijken en zo ja, verwijder dat. Maak knellende kledingstukken los.

Richt het hoofd naar achteren met de mond naar beneden, strek de onderliggende arm recht naar voren en buig de knie van het bovenliggende been zodanig, dat de voet in de knieholte ligt van het onderliggende been.

Mocht het slachtoffer moeilijk zelfstandig kunnen ademen, dan moet u mond-op-mond of beter mond-op-neus beademing toepassen.

Doe dit op de juiste wijze:
- leg het slachtoffer op zijn rug;
- leg de ene hand onder de nek en de andere op het voorhoofd van het slachtoffer en duw het hoofd naar achteren, zodat de luchtwegen vrij komen te liggen;
- adem diep in en blaas de lucht in de neus of de mond;
- sluit met de hand die onder de nek lag, de mond (bij mond-op-neus beademing) of de neus af (bij mond-op-mond beademing) anders stroomt de ingeblazen lucht meteen weer weg;

- het inblazen moet bij volwassenen ongeveer 12 keer per minuut gebeuren. Aangezien kinderen een kleinere longinhoud hebben moet u bij hen vaker inblazen, maar wel minder krachtig. U ziet de borst van het slachtoffer omhoog komen als u de adem inblaast.

Bij bepaalde verwondingen is het letterlijk van levensbelang, dat u weet wat u moet doen.

ernstige bloedingen

Bij ernstige bloedingen bestaat het gevaar, dat het slachtoffer, door teveel bloedverlies overlijdt. De gevaarlijkste bloedingen zijn slagaderlijke bloedingen.
Deze zijn te herkennen aan het hartslagritme, waarmee het bloed uit de wond stroomt. Het is noodzakelijk deze bloedingen te stelpen.

De eerste hulp bij bloedingen bestaat uit:
- de wond afdekken met een steriel snelverband, eventueel ook met een drukverband.
Denk eraan, dat de knoop van het verband niet op de wond komt te liggen;
- de slagader dichtdrukken op een plaats tussen het hart en de wond en op een harde "ondergrond", zoals een bot.
Voorbeelden van deze drukpunten bij slagaderlijke bloedingen zijn de lies, het sleutelbeen, de bovenarmen.
Bij zowel aderlijke als slagaderlijke bloedingen, is direct reageren noodzakelijk. Het bloedverlies kan snel zeer groot zijn.

brandwonden

Brandwonden zijn zeer pijnlijk. Brand ontstaat altijd in een zuurstofrijke omgeving. Als iemand verbrandt, moet het vuur zo snel mogelijk worden afgedekt, zodat er geen zuurstof meer bij kan komen.
Dit doet u door de persoon in een deken of een jas te wikkelen en hem of haar over de grond te rollen. Blussen met water mag ook. De beste eerste hulp bij brandwonden is het afkoelen van de wond met (schoon) water.
De rest komt later. Brandzalf en andere middeltjes mogen niet gebruikt worden.

Brandwonden worden onderverdeeld in drie gradaties:

1 *eerste graadsverbranding behandeling*:
- rode huid;
- afkoelen met water, de rest komt later.

2 *tweede graadsverbranding behandeling*:
- blaarvorming;
- afspoelen met koud water en gescheurde blaren afdekken met steriel gaas.

3 *derde graadsverbranding behandeling*:
- verkoling van de huid;
- steriel verbinden of afdekken.

botbreuken

Botbreuken behoren niet tot de levensgevaarlijke verwondingen. Veel hulp valt er voor u dan ook niet te verrichten. Bij een botbreuk is het van belang, dat het slachtoffer niet verplaatst wordt.
Bij open botbreuken moet net als bij een bloeding gehandeld worden. Het is beter de wond af te dekken in plaats van te verbinden.

reanimatie

Onder reanimatie wordt verstaan het verrichten van handelingen die voorkomen dat een slachtoffer sterft. Reanimatie kan worden toegepast op mensen die in een diepe bewusteloosheid verkeren en waarbij alle functies van het lichaam zijn uitgevallen (klinisch dood). Als reanimatie ondeskundig gebeurt, kan dat zeer ernstige gevolgen hebben voor het slachtoffer. Oefening is daarom een vereiste.

hartmassage

Bij hartmassage wordt het borstbeen van de patiënt met een bepaalde frequentie en een bepaalde diepte in de richting van de wervelkolom van de patiënt gedrukt.

Om hartmassage goed te kunnen uitvoeren, zijn van belang:
- de ligging van de patiënt;
- plaatsing van de handen van de hulpverlener;
- houding van het lichaam van de hulpverlener.

Het slachtoffer moet horizontaal op de rug liggen, waarbij de benen 10 cm hoger mogen liggen dan de rest van het lichaam. Het slachtoffer moet op een stevige, niet indrukbare onderlaag liggen, bijvoorbeeld op de grond.

Een juiste plaatsing van de handen van de hulpverlener op het borstbeen van het slachtoffer is van groot belang om complicaties te voorkomen.

Er mag nooit druk uitgeoefend worden op het zwaardvormig aanhangsel van het borstbeen. Het naar binnen drukken van dit uitsteeksel kan beschadiging opleveren aan lever en maag. Plaats de eerste hand boven op de tweede hand op het borstbeen en voorkom dat de vingers op de ribben drukken.

De hulpverlener moet zo dicht mogelijk naast het slachtoffer knielen, waarbij de hulpverlener zijn schouders recht boven zijn handen dient te plaatsen.
Wanneer de hulpverlener zijn schouders en handen in de juiste positie heeft gebracht, moet hij het borstbeen in de richting van de wervelkolom drukken, waarbij de borstkas drie tot vijf centimeter wordt ingedrukt. Het indrukken moet regelmatig, soepel en zonder stotende beweging plaatsvinden.

Nadat het borstbeen tot de vereiste diepte is ingedrukt, moet vervolgens ineens alle druk worden weggenomen. Zorg ervoor dat de handen contact blijven houden met het slachtoffer om de juiste handpositie te bewaren.

schade afhandeling
Nadat voor de eventuele gewonden is gezorgd en de hulpverlenende instanties zijn gewaarschuwd, kunt u aandacht schenken aan materiële zaken, die van belang kunnen zijn als betrokkene of getuige van het ongeval: het kenteken van de tegenpartij noteren, getuigen raadplegen en het invullen van het Europees schadeformulier samen met de tegenpartij.

Het Europees schadeformulier is door de verschillende verzekeringsmaatschappijen in Europa opgesteld met als doel de schademelding te standaardiseren. Het is van belang altijd een exemplaar bij u te hebben.

Op het formulier staat een uitgebreide instructie, die u aandachtig moet lezen, alvorens u het formulier gaat invullen. U kunt het schadeformulier samen met de medebetrokkene op de plaats van de aanrijding invullen, maar u kunt het in veel gevallen ook thuis invullen.

Indien uw verzekeringsmaatschappij met een tussenpersoon werkt, kunt u hem raadplegen.
Er worden op het schadeformulier diverse standaardsituaties aangegeven, waarbij u door het zetten van kruisjes aan kunt geven, welke situatie op de uwe van toepassing is. Wanneer u het formulier op de plaats van de aanrijding samen met de tegenpartij invult, kunt u na een zorgvuldige controle, het formulier ondertekenen.
Dit bent u echter niet verplicht. Wel bent u verplicht om gegevens over uzelf en uw voertuig aan de tegenpartij te geven. En u hebt recht op gelijksoortige gegevens van de tegenpartij. Het ondertekenen van het schadeformulier kan al dan niet aangevuld met relevante feiten, bijvoorbeeld getuigenverklaringen en proces-verbaal, mede de schuldvraag bepalen.

Wanneer de politie wordt ingeschakeld, zal deze ook de gegevens van de betrokken partijen vragen en willen weten hoe het ongeval is ontstaan. Vervolgens zal de politie een soort uitgebreid schadeformulier opmaken, met daarin de omschrijving van de omstandigheden waaronder het ongeval heeft plaatsgevonden. Dit formulier (registratieset) wordt opgestuurd naar een centraal punt in Den Haag, waar de verzekeringsmaatschappijen afschriften kunnen opvragen.
U krijgt geen kopie van de registratieset die de politie opmaakt. In sommige gevallen kan de politie een proces-verbaal opmaken.
Dit gebeurt in het algemeen bij ernstige ongevallen, bijvoorbeeld waarbij doden of gewonden zijn gevallen of bij ongevallen met grote materiële schade. Er volgt dan meestal een uitspraak van de rechter, welke kan leiden tot een veroordeling.

11 Communicatie, rijden met licht en in moeilijke weersomstandigheden

11.1 Communicatie

Om met meerdere weggebruikers tegelijk van de weg gebruik te kunnen maken, moet u voortdurend aan elkaar laten zien wat u wilt gaan doen: linksaf, rechtsaf, van rijstrook wisselen, inhalen, enz. Daarom moet u in het verkeer duidelijk communiceren. Dat kan met:

- richtingaanwijzer;
- remlichten;
- claxon;
- koplampen;
- hand- en armgebaren.

richtingaanwijzer

De richtingaanwijzer is een van de belangrijkste signaalgevers. Het is verplicht om elke belangrijke zijdelingse verplaatsing met de richtingaanwijzer kenbaar te maken aan de andere bestuurders.

Het gaat om:

- wegrijden;
- inhalen;

- in- en uitvoegen;
- wisselen van rijstrook;
- voorsorteren en afslaan.

De richtingaanwijzer moet u onmiddellijk neutraal zetten zodra
de zijdelingse verplaatsing of manoeuvre voltooid is.

Met richting aangeven begint u globaal op de volgende
afstanden tot het punt waarop u van richting verandert:
- op auto(snel)wegen op circa 300 meter voor de uitrijstrook;
- op wegen buiten de bebouwde kom of op 70 km/u wegen
binnen de bebouwde kom op circa 200 meter voor het
kruispunt, als er een uitrijstrook of voorsorteervak aanwezig is,
is circa 150 meter voldoende;
- op wegen binnen de bebouwde kom (50 km/u) op circa 100
meter voor het kruispunt, als er een uitrijstrook of
voorsorteervak aanwezig is, is circa 50 meter voldoende;
- in woonstraten is circa 50 meter voldoende.
Bovengenoemde afstanden gelden natuurlijk alleen wanneer er
geen verwarring op kan treden. Verwarrend is bijvoorbeeld een
zijweg passeren met een in werking zijnde richtingaanwijzer.

remlichten
De remlichten kunt u gebruiken om aan achteropkomend
verkeer duidelijk te maken, dat u wilt gaan stoppen. Raak het
rempedaal heel licht aan voordat u daadwerkelijk remt. De
remlichten gaan dan even aan, waardoor het verkeer achter u
weet dat u gaat afremmen.

geluids- of lichtsignaal
Ter afwending van een dreigend gevaar geeft u een
geluidssignaal of een lichtsignaal. Een ander kenbaar willen
maken dat u wilt gaan inhalen, is geen reden een geluidssignaal
te geven. U mag wel een lichtsignaal geven om een inhalende
vrachtauto of bus duidelijk te maken dat hij veilig naar de
rechterrijstrook kan.

geen overbodig signaal
U mag met uw motorvoertuig geen overbodige signalen geven
en niet onnodig geluid maken. Claxonneren zonder aanleiding
is dus verboden.

alarmlichten
U ontsteekt alarmlichten als u:

- stilstaat op een plaats waar u slecht zichtbaar bent;
- op een file stuit;
- wordt gesleept.

Als u de alarmlichten van een ander voertuig ziet branden
houdt dan rekening met:

- een voertuig met pech;
- een voertuig dat gevaarlijk geparkeerd staat;
- filevorming;
- een voertuig dat gesleept wordt.

geel waarschuwingslicht
Als even verderop een voertuig een geel waarschuwingslicht
voert, wees er dan op bedacht dat u:

- een langzaam rijdend zwaar transport van achter nadert;
- op een buitengewoon breed voertuig stuit;
- gevaar loopt als gevolg van bergings-werkzaamheden of een
  verkeersongeval.

u stuit op
langzaam rijdend
zwaar en
buitengewoon
breed transport

11.2   Rijden met licht

Elke auto telt gemiddeld 40 lampen, waarvan de belangrijkste
zonder twijfel de koplampen zijn. Het zijn uw ogen bij nacht en
ontij. Daarnaast maken ze, samen met de achterlichten, uw auto
zichtbaar voor andere bestuurders.

Bij zestig procent van de verkeersongevallen is sprake van onvoldoende verlichte voertuigen. Daarom is het voor de verkeersveiligheid van groot belang dat de verlichting van uw voertuig compleet is en optimaal functioneert.
Welke verlichtingsuitrusting verplicht is en welke is toegestaan, vindt u in het hoofdstuk "Technische aspecten".

verlichting is er om gezien te worden
Het rijden met verlichting heeft niet alleen als doel zelf goed te kunnen zien, maar vooral ook om door anderen beter gezien te worden.

Wacht met het ontsteken van de verlichting dan ook niet totdat u zelf niet meer genoeg kunt zien. De kans is groot dat anderen u veel eerder al niet goed zien.

dimlicht
U moet verlichting voeren bij schemering en bij donker, maar ook overdag als u als gevolg van slecht weer niet goed zichtbaar bent.
U mag dan nooit alleen stadslicht voeren. Soms is het zelfs overdag bij prachtig weer wenselijk verlichting te voeren.
Op een weg, bijvoorbeeld, die gedeeltelijk onder een laaghangend bladerdak verscholen ligt, kunnen andere weggebruikers u moeilijk zien aankomen. Dimlicht maakt u zichtbaar.

met dimlicht bent u beter zichtbaar

Als overdag u veel voertuigen tegemoetkomen die dimlicht voeren, verwacht dan verderop mistbanken of regenbuien. Ook dat is een vorm van anticiperen. Ontsteek uw dimlicht.

groot licht

Groot licht voert u bij donker als u met dimlicht de wegsituatie niet goed kan overzien en als u daarmee geen andere weggebruikers hindert.
Het gebruik van groot licht is verboden:

- overdag;
- als u een andere weggebruiker (dus ook een voetganger) tegenkomt;
- als u op korte afstand een ander voertuig (ook fiets of bromfiets) volgt.

dimmen

Met groot licht verblindt u tegemoetkomende bestuurders. Zij geven dan een knippersignaal, een teken voor u snel op het dashboard te kijken of u groot licht voert. Is dat zo, dim het dan direct. Groot licht voeren is ook verboden als u een voorligger in het zicht hebt. Groot licht verblindt uw voorligger via zijn spiegels.

U denkt misschien van niet, maar ook fietsers en voetgangers hebben veel last van groot licht. Daarom moet u groot licht dimmen voor fietsers, snorfietsers, bromfietsers en zelfs tegemoetkomende voetgangers op de rijbaan. Aan het blauwe controlelampje ziet u of u groot licht voert.

u moet dimmen voor élke tegenligger!

dimmen!, want u verblindt de voorligger via zijn binnenspiegel

dim tijdig, dus vóórdat de tegenligger in uw stralenbundel komt

laagstaande zon
Ook bij laagstaande zon kan het voeren van verlichting nodig zijn. Als u zelf de laagstaande zon in de rug hebt, zal tegemoetkomend verkeer moeite hebben u te zien.
Als u dimlicht voert, ziet men u eerder. Ontsteek bij voorkeur altijd dimlicht als de zon laag staat.

verblind worden
Zelf kunt u ook verblind worden. Oorzaken zijn meestal:
- te laat dimmen van uw tegenligger;
- te hoog afgesteld dimlicht van uw tegenligger;
- een laagstaande zon;
- licht op vuile ramen.

Uw reactie dient te zijn:
- snelheid minderen;
- indien nodig stoppen.

knippersignaal
Als uzelf verblind wordt door een tegenligger, kunt u hem daarop opmerkzaam maken door even met groot licht te knipperen. Als dat niet helpt omdat de ander dat niet merkt of zich daar niets van aantrekt, kijkt u niet in de koplampen van uw tegenligger, maar rechts daarvan, bijvoorbeeld naar de rechterzijkant van de rijbaan.

voetgangers op de rijbaan
In het verkeer voeren alle bestuurders, indien noodzakelijk verlichting. Voetgangers doen dat niet.
Wees daarom bij donker extra bedacht op voetgangers (joggers).
Op wegen zonder trottoir, fietspad of fiets-/bromfietspad zullen zij op de rijbaan lopen. Rijd daarom zeker op dat soort wegen nooit te veel rechts.

rijd in het donker niet te veel rechts en dim tijdig

van licht naar donker
Er kunnen voor u gevaarlijke situaties ontstaan, wanneer u vanaf een goed verlichte weg een donkere weg inslaat, omdat uw ogen tijd nodig hebben zich op het donker in te stellen en omdat obstakels en fietsers zonder licht, moeilijk zijn te onderscheiden.

reflectie

Bij donker reflecteren regen en een nat wegdek het licht van uw koplampen tot u sterretjes ziet.
Wegbelijning en tekens op het wegdek lossen op in dat reflecterend licht.

Ga niet op uw gevoel af, maar pas bij donker uw snelheid aan wanneer het hevig regent of als er veel plassen op de weg liggen.

Niet alleen kunt u dan effectiever remmen, u heeft ook meer tijd de moeilijk zichtbare belijning en tekens op de weg in u op te nemen.

Bermpaaltjes en kantlijnen zijn in het donker een goed oriëntatiemiddel. In combinatie met een aangepaste snelheid loodsen ze u veilig naar de plaats van bestemming.

door verblindende lichtreflectie is niets en niemand duidelijk te zien

stadscentrum

Als u rijdt in een omgeving met zeer veel openbare verlichting en veelkleurige neonreclame, moet u erop bedacht zijn dat u:
- verkeerslichten niet tijdig ziet;
- verkeersborden laat opmerkt;
- voetgangers en fietsers moeilijker onderscheidt.

drempels
Tijdens donker ziet u zelfs met een goede verlichting alles een fractie van een seconde later, drempels bijvoorbeeld en dat kan een schokkende ervaring zijn.

afstand en snelheid
Uw afstand tot tegenliggers en de snelheid, waarmee ze naderen, zijn overdag onder gunstige weersomstandigheden al moeilijk in te schatten. Bij donker gaat dat helemaal niet. Het licht van een tegemoetkomende auto dat zo ver weg lijkt, komt een paar seconden later razend snel op u af. Het donker kan zeer misleidend zijn.

verlichting tijdens stilstaan
Als u bij nacht en overdag bij slecht zicht op de rijbaan buiten de bebouwde kom stilstaat, moet uw stadslicht (voorkant stadslicht, achterkant achterlicht) branden. Er is daar meestal minder openbare straatverlichting dan binnen de bebouwde kom en er wordt met een hogere snelheid gereden.

laat zien waar u stilstaat
Ontsteek daarom vooral buiten de bebouwde kom, maar soms ook binnen de bebouwde kom (om veiligheids redenen), stadslichten op alle plaatsen waar uw stilstaande auto door anderen te laat zou kunnen worden opgemerkt.

parkeerhaven, parkeerstrook
Als u bij nacht en overdag bij slecht zicht stilstaat in langs autowegen en autosnelwegen gelegen parkeerhavens, parkeerstroken, vluchthavens of vluchtstroken moet u ook stadslichten ontsteken.

stilstaande aanhangwagen of caravan
Als u met uw aanhangwagen of caravan bij nacht en overdag bij slecht zicht buiten de bebouwde kom stilstaat, zorg er dan voor dat ook bij de aanhangwagen of caravan aan de voorkant of zijkant het stadslicht en aan de achterkant het achterlicht brandt.
Ook op een langs autowegen en autosnelwegen gelegen parkeerstrook, parkeerhaven, vluchtstrook en vluchthaven laat u bij nacht of overdag bij slecht zicht bij de aanhangwagen of

caravan aan de voorkant (of zijkant) het stadslicht en aan de achterkant het achterlicht branden. Dit moet ook als u de aanhangwagen of caravan loskoppelt en alleen achter laat.

markeringslicht
Als uw aanhangwagen met of zonder lading breder is dan 2,10 meter, ontsteekt u markeringslicht zowel aan de voorkant als achterkant, maar u voert ook zijmarkeringslicht aan de zijkant om de lengte -indien langer dan 6 meter- te accentueren.

11.3 Rijden in regen en wind

risico's
Rijden tijdens regen vereist aanpassing van techniek en oplettendheid. Regen maakt het wegdek gladder waardoor uw stopafstand langer wordt.
Daarom moet u bij hevige regen meer afstand bewaren en uw snelheid zal lager moeten zijn.

na droge periode
Als het na een langere, droge periode voor het eerst weer begint te regenen, moet u erop bedacht zijn dat:
- u minder ziet door de voorruit (tenzij die pas is schoongemaakt);
- uw stopafstand langer wordt;
- rubber en olieresten het wegdek verraderlijk glad maken.

regen maakt het wegdek gladder waardoor uw stopafstand langer wordt

combineer dimlicht met mistlicht

Bij regen voert u altijd dimlicht. Niet om zelf meer te zien, maar om door anderen eerder en beter gezien te worden. U mag, om nog beter op te vallen, bij zware regenval uw dimlicht ook nog combineren met mistlicht.

geen mistachterlicht

Mistachterlicht mag u niet voeren bij regen. Ook niet tijdens hevige regenbuien. Door reflectie versterkt de regen de felle rode lichten zozeer, dat de achterligger hinderlijk verblind wordt.

mistachterlicht mag u niet voeren bij regen

snelheid aanpassen

Tijdens hevige regenval vermindert u snelheid om te voorkomen dat:

- het verminderde zicht u hindert;
- de stopafstand te lang wordt;
- de kans op watergladheid (aquaplanning) toeneemt.

Rijdt u buiten de bebouwde kom in een regenbui die het zicht beperkt tot minder dan 50 meter, rijd dan niet sneller dan 50 km/u en haal niet in. Rijdt u tijdens hevige regenbuien op een autosnelweg, dan is het veiliger uitsluitend de rechterrijstrook te volgen.

aquaplanning (watergladheid)

Watergladheid kan ontstaan op plaatsen waar sporen in de rijbaan vol staan met water. Volgelopen sporen en intensieve stuurbewegingen kunnen u gemakkelijk verrassen.

opspattend water

Gaat u op een autosnelweg tijdens regen, toch andere bestuurders inhalen, dan zullen dat meestal vrachtauto's zijn. Houd er rekening mee dat die voertuigen veel water kunnen opspatten, zoveel zelfs dat u even alle zicht kwijt bent.

plassen water

Ligt er op de rijbaan binnen de bebouwde kom een grote plas water en er lopen voetgangers op het trottoir, wijk dan als de situatie het toelaat uit naar het droge weggedeelte.
Pas uw snelheid aan en schakel tijdig terug. Kunt u niet uitwijken passeer dan stapvoets rijdend.

als de situatie het toelaat, wijkt u uit naar het droge weggedeelte

zijwind

Rijd ook met aangepaste snelheid en in een lagere versnelling als u te kampen krijgt met zware zijwind. Vooral sterke rukwinden kunnen u zomaar een paar meter opzij blazen. Haal niet onnodig in.
Uw auto bij zware zijwind op koers houden, vereist meer dan stuurvaardigheid. U moet de motor van uw auto zoveel mogelijk "trekkende" houden en een constante snelheid aanhouden.

Op autosnelwegen is de invloed van sterke zijwind nog een factor sterker:

- op bruggen en viaducten;
- daar waar een geluidswal ophoudt;
- in een gebied met veel afwisseling in het landschap (bebouwd en onbebouwd, heuvels en dalen).

11.4 Rijden in mist

algemeen
Mist is een wolk van heel kleine waterdeeltjes die u het zicht ontneemt. Mist ontstaat als warme, vochtige lucht over een koud aardoppervlak stroomt. Dit doet zich voor in het najaar en het vroege voorjaar.

Als het mistig is, ziet u dat gewoonlijk al als u de deur uitkomt en naar uw auto loopt. U moet er al rekening mee houden, dat u met vertraging op de plaats van bestemming zult aankomen. Nederland heeft vele mistgevoelige gebieden.
Vooral in polders en in de buurt van rivieren en in lager gelegen veengebieden kan mist onverwacht en snel komen opzetten.

bij mistvorming uw rijgedrag onmiddellijk aanpassen

risico's

Pas bij mistvorming uw rijgedrag direct aan.
Tijdens zeer dichte mist zijn dit de belangrijkste
voorzorgsmaatregelen:

- volgafstand vergroten;
- snelheid aanpassen;
- niet inhalen;
- mistlicht aan de voorkant ontsteken;
- eventueel mistachterlicht ontsteken;
- de kantlijn gebruiken als leidraad.

Ook op autosnelwegen bewijzen die voorzorgsmaatregelen
goede diensten.
Als het zicht bijvoorbeeld maar 30 meter is, rijd dan niet harder
dan 30 km/u. Rijdt u sneller, dan kunt u niet tijdig stilstaan als er
plotseling een obstakel opduikt.

invoegen

U weet dat u moet invoegen als u een autosnelweg op wilt
rijden. Voeg bij mistvorming niet met hoge snelheid in, zodat
een opduikende mistbank u niet kan verrassen.

3 seconden rijafstand

Op autowegen en autosnelwegen en op gewone wegen buiten
de bebouwde kom, moet u bij goed zicht twee seconden
rijafstand bewaren.

Maak er bij mist 3 seconden van. Wat u vooral niet moet doen,
is een te hard rijdende voorligger met dezelfde snelheid blijven
volgen. Ook niet als u zijn mistachterlicht nog kunt zien.

De combinatie van een hoge snelheid en een korte volgafstand
is het gevaarlijkst.
Als u op een mistbank stuit -en dat kan u bij nevelig weer op de
meest onverwachte plaatsen gebeuren- bent u onmiddellijk
gedesoriënteerd. En zo zult u ook reageren!

De 3 seconden rijafstand aanhouden gecombineerd met een
aangepaste snelheid, is de enige manier om de dichte mist
veilig door te komen.

rechterrijstrook volgen

Rijdt u bij dichte mist op een autosnelweg, houd dan altijd de rechterrijstrook aan, zodat u in geval van nood direct de vluchtstrook op kunt.

haal niet in, blijf de rechterrijstrook volgen en pas snelheid en volgafstand aan

niet inhalen

U moet de verleiding weerstaan bij dichte mist in te halen. Inhalen op een autosnelweg noodzaakt u al gauw 100 km/u te rijden. En dan heeft u een stopafstand van een half voetbalveld nodig om niet op die voorligger te knallen of een kettingbotsing te veroorzaken.

mistachterlicht

Ontsteek uw mistachterlicht, bij voorkeur maar één licht, bij zeer dichte mist.
Er is sprake van zeer dichte mist als het zicht minder is dan 50 meter.
Reikt het zicht duidelijk verder dan 50 meter of sluit u aan op een stilstaande of zeer langzaam rijdende file, dan is het verboden het doordringende mistachterlicht te laten branden. Onder die omstandigheden is mistachterlicht uiterst hinderlijk voor achteropkomend verkeer.

mistlicht voorzijde

De basisverlichting aan de voorkant van uw auto is altijd dimlicht.

Tijdens dichte mist mag u aan de voorzijde als extra verlichting mistlicht voeren.

Mistlicht aan de voorzijde mag echter alleen tijdens weersomstandigheden die het zicht ernstig belemmeren.

Van ernstige belemmering is pas sprake als het zicht duidelijk minder is dan 200 meter.

als het zicht ernstig wordt belemmerd mag u overdag uw dimlicht combineren met mistlicht

11.5   Rijden op besneeuwd of beijzeld wegdek

sneeuwvrij

Als u gaat rijden vlak na een zware sneeuwbui, maakt u eerst ramen, lampen, spiegels en het dak sneeuwvrij. Voordat u instapt, maakt u ook uw schoenzolen sneeuwvrij.

risico's

Autorijden onder slechte weersomstandigheden, zoals zware sneeuwval, rijden op een glad wegdek vereist een aangepaste en gevorderde techniek:

- verkeerslichten nadert u voorzichtiger;
- u zult meer afstand moeten bewaren;
- uw snelheid zal lager moeten zijn;

- u voegt op een andere manier in of uit;
- u sorteert anders voor;
- u remt vaak eerder af;
- u voert aangepaste verlichting.

stapvoets rijden

Als het wegdek glad is, nadert u een kruispunt stapvoets en u steekt in één beweging over of u slaat in één beweging af.
U houdt rekening met de kans op doorslippen en ook met de mogelijkheid dat een naderende bestuurder in een slip raakt.

u houdt er rekening mee als er een bestuurder nadert dat die in een slip kan raken

remafstand

Ook het bord dat aangeeft dat u voorrang moet verlenen, zult u voorzichtiger moeten naderen.
Doordat uw remafstand op een nat of glad wegdek veel langer is dan op een droog wegdek, zult u vroegtijdig moeten vaststellen of u daadwerkelijk stil zult moeten gaan staan om voorrang te verlenen.

nadering stopbord

Nadert u een kruispunt waar een stopbord staat, dan stopt u extra voorzichtig. U weet dat het altijd zeer gevaarlijke kruispunten zijn en de kans op doorslippen maakt ze dubbel zo gevaarlijk.

Te snel naderen en te weinig stuurtechniek kunnen er de oorzaak van zijn, dat uw wielen hun grip verliezen op dat gladde wegdek. Dan is een aanrijding vaak niet meer te voorkomen.

langzaam naderen, op tijd de juiste versnelling kiezen en gedoseerd remmen, dan kunt u ook op een glad wegdek veilig oversteken of afslaan

haaietanden niet te zien
Als verkeersborden besneeuwd zijn, is de kans groot dat ook de haaietanden vaak niet meer te zien zijn.
Gelukkig verraadt de vorm van het bord 'voorrang verlenen' zijn betekenis. Er bestaat nl. maar één driehoekig bord waarvan de punt naar beneden wijst.

verkeerslichten naderen
Bij gladheid nadert u ook verkeerslichten met lage snelheid. De kruisende bestuurders doen dat ook. Gelukkig, maar dat kan ook gevolgen hebben.
Zij gaan zo langzaam door groen (of zelfs geel) licht, dat ze nog op het kruisingsvlak rijden als het licht voor u op groen springt.

snelheid aanpassen
Ook bij gewoon recht vooruit rijden, moet uw snelheid bij gladheid zeer laag zijn.
Hoe laag precies is afhankelijk van de situatie, maar 50 km/u is onder die omstandigheden beslist geen slakkengangetje.

*in bochten houdt u de snelheid nog lager, omdat de kans op
wegglijden daar groter is dan op rechte weggedeelten*

adviessnelheid

De adviessnelheden die op borden staan aangegeven, gelden
uitsluitend onder gunstige weersomstandigheden. Tijdens
weersomstandigheden met sneeuw, ijzel, mist en gladheid
moet uw snelheid aanmerkelijk lager zijn.

maximumsnelheid

Ook de (elektronisch) aangegeven toegestane
maximumsnelheid kan onder bepaalde weersomstandigheden
of door de toestand van het wegdek ter plaatse nog te hoog
zijn. Zeker in bochten. U bent steeds zelf verantwoordelijk voor
de snelheid waarmee u rijdt.

wegdek op brug

Vooral op het gladde wegdek van een brug moet uw snelheid
zeer laag zijn. Omdat het wegdek van een brug ook van
onderuit bevriest, is het niet alleen eerder glad maar vaak ook
nog gladder dan het gewone wegdek voor en voorbij de brug.

volgafstand vergroten

Probeer onder slechte weersomstandigheden steeds extra
afstand te bewaren. Als er vóór u plotseling wordt geremd of
uitgeweken, komt u in problemen naarmate u dichter op uw
voorligger rijdt.

U denkt misschien dat een ruime volgafstand soms overdreven is, maar dat is nooit het geval.

Op een glad wegdek is uw remafstand veel langer dan op een droog wegdek, maar hoeveel langer hangt van zoveel omstandigheden af, dat u maar beter een ruime marge kunt nemen.

aangepast in- en uitvoegen
Remmen en stilstaan op de invoegstrook moet u proberen te voorkomen. Vooral om een aanrijding van achteren te vermijden.

Vraag om invoegruimte door vroegtijdig richting aan te geven. Realiseer u ook dat besneeuwde uitvoegstroken die nog niet intensief bereden zijn gevaarlijk glad kunnen zijn.
Minder in die gevallen snelheid op de doorgaande rijbaan en rijd met aangepaste snelheid de uitvoegstrook op.

minder hoofdzakelijk snelheid op de doorgaande rijbaan en vermijd abrupte stuurbewegingen

Moet u tanken of parkeren tijdens zware sneeuwbuien, realiseer u dan dat de afrit naar het tankstation minder bereden wordt en dat u op die afrit vaak nog een scherpe bocht moet nemen. Twee redenen dus voor aanpassing van snelheid en stuurgedrag.

de afrit naar het tankstation of parkeerplaats is nog weinig bereden

voorsorteren

Als u tijdens of vlak na een zware sneeuwbui bij splitsingen van (autosnel)wegen gaat voorsorteren, moet u kijken of de voorsorteerstrook al veel bereden is. Zo niet, verminder dan uw snelheid en wissel extra voorzichtig en in een vloeiende beweging van rijstrook.

vluchtstrook

Als u onder zulke slechte weersomstandigheden de vluchtstrook op moet, verminder dan snelheid op de doorgaande rijbaan en rijd met lage snelheid beheerst de vluchtstrook op.

u houdt er rekening mee dat de uitrijstrook zeer slecht berijdbaar is

drempels

Een sneeuwbui kan verkeersdrempels perfect camoufleren. Een reden temeer ook binnen de bebouwde kom langzaam te rijden als het weer niet meezit.

verkeers-drempels zijn slecht zichtbaar

alarmlicht

Nadert u een verkeerssituatie waar een geslipt voertuig de weg verspert, dan ziet u vaak blauwe zwaailichten en/of alarmlichten. Verlaag uw snelheid en kies vroegtijdig de juiste positie.

mistachterlicht

U mag alleen mistachterlicht voeren tijdens dichte mist of zware sneeuwval, als het zicht minder is dan 50 meter.

het zicht is nu duidelijk meer dan 50 m, u mag het mistachterlicht niet voeren

combineer dimlicht met mistlicht
Voer tijdens zware sneeuwval geen groot licht. Het is hinderlijk voor uzelf, maar zeker ook voor het tegemoetkomend verkeer. Tijdens zware sneeuwval is dimlicht de enig goede verlichting. Aan de voorkant mag u alleen mistlicht voeren als het zicht voor u ernstig wordt belemmerd.
U kunt van een ernstige belemmering spreken als het zicht duidelijk minder is dan 200 meter. Voer dan mistlicht in combinatie met dimlicht.

als tegenliggers opvallend langzaam rijden
Als u 's winters op een autosnelweg rijdt en het tegemoetkomende verkeer op de andere rijbaan rijdt opvallend langzaam, wees dan bedacht op gladde (beijzelde) weggedeelten en pas zelf onmiddellijk uw snelheid en volgafstand aan en haal vooral niet in!

risico gebieden
IJzel en sneeuw op beschutte weggedeelten in bosgebieden en op wegen vlak langs rivieren en kanalen vergroten de risico's van te snel rijden en te weinig afstand houden, zeker ook op plaatsen waar een verkeersteken u er voor waarschuwt en ook op een wegdek van kinderkopjes.

Op een enkelbaansweg met een enigszins gebold wegdek vormt gladheid ook een extra groot gevaar. U glijdt daar gemakkelijk de berm in.

Pas ook uw snelheid aan binnen de bebouwde kom, waar temidden van sneeuw of ijzel voetgangers op de rijbaan hun evenwicht proberen te bewaren.

winterbanden en sneeuwkettingen
In gebieden waar veel sneeuw valt dat langdurig blijft liggen, is het aan te bevelen winterbanden of sneeuwkettingen te gebruiken. Winterbanden, ook wel "m+s" (modder en sneeuw) banden genoemd, hebben meestal een grove blokprofilering waardoor een betere grip wordt verkregen. Voor de moderne "m+s" banden geldt in het algemeen geen speciale snelheidsbeperking, al moet u zich natuurlijk wel houden aan de voorschriften van de bandenfabrikant.

In bergachtige gebieden is 's winters het gebruik van sneeuwkettingen vaak verplicht.

Bij het gebruik van kettingen geldt wel een snelheidsbeperking; de meeste fabrikanten geven een maximumsnelheid van 50 km/u aan. Als u voor het eerst naar de wintersportgebieden gaat is het verstandig om van tevoren te oefenen in het omleggen van deze kettingen.

12 Milieu aspecten

12.1 Brandstofverbruik

Het autoverkeer is één van de belangrijkste oorzaken van de milieuvervuiling. Om deze vorm van milieuvervuiling tegen te gaan, moet u de uitstoot van schadelijke gassen terugdringen. Dat kan dus vooral door zuiniger te rijden.

Het onderstaande geeft aan hoe u dat kunt bereiken:
- rij na het starten direct, maar rustig weg;
- laat de motor niet onnodig stationair draaien;
- speel niet met het gaspedaal tijdens het stilstaan;
- zet uw motor af als u langer dan 1 minuut moet wachten;
- trek niet door tot in de hogere toerentallen maar schakel tijdig naar een hogere versnelling;
- rijd met vooruitziende blik om veelvuldig schakelen en remmen te voorkomen;
- nader een verkeerssituatie waar u voor moet stoppen niet te snel;
- rij niet te snel en vermijd onnodig inhalen;
- zorg voor voldoende volgafstand dan hoeft u minder te remmen en op te trekken;
- neem voor bochten tijdig gas terug en versnel gelijkmatig halverwege de bocht;
- houd motor in optimale conditie;
- denk aan de juiste bandenspanning;
- rij niet onnodig met in werking zijnde airco of achterruitverwarming, met geopende ramen of geopend schuifdak;

- vermijd onnodige weerstand, rij dus niet onnodig met een skibox, met een fietsenrek of imperiaal;
- gebruik cruise-control en raadpleeg econometer;
- vermijd files. Denk na over het moment van vertrek, carpooling e.d.;
- gebruik niet altijd de auto. Neem voor korte afstanden de fiets, tram of bus (openbaar vervoer).

rijden met imperiaal, skibox of lading verhoogt het brandstofverbruik

vermijd files, denk na over het moment van vertrek

automatische versnelling

Als uw auto voorzien is van een automatische versnelling hoeft u zelf niet op te schakelen of terug te schakelen. De automaat kiest steeds de juiste versnelling. De keuze wordt bepaald door het toerental van de motor en de snelheid van de auto.
Dit betekent dat u ook niet wat eerder naar een hogere versnelling of later naar een lagere versnelling kunt schakelen om brandstof te besparen.

Wel beschikt de auto met een automatische versnelling over een "kickdown" inrichting, die naar een lagere versnelling overschakelt als het gaspedaal plotseling diep wordt ingetrapt. Hierdoor kan de auto veel sneller accelereren dan normaal. Dit kan bijvoorbeeld van belang zijn bij het inhalen, invoegen, op een helling of in een noodsituatie. Bedenk wel dat een veelvuldig onnodig gebruik van de "kickdown" kan leiden tot een aanmerkelijk hoger brandstofverbruik.

onderhoud
Regelmatig onderhoud leidt tot een optimale conditie van uw auto. Hierdoor beperkt u de uitstoot van schadelijke stoffen. U laat onmiddellijk een technische controle uitvoeren zodra u merkt dat:
- het brandstofverbruik toeneemt;
- de motor onregelmatig loopt;
- er donkere walm uit de uitlaat komt.

12.2 Katalysator

De loodvervuiling door de auto is grotendeels verdwenen dankzij de algemene invoering van loodvrije benzine. Met de geregelde 3-weg katalysator wordt een groot deel van de uitstoot van andere schadelijke stoffen door de personenauto voorkomen.
Hoewel de katalysator in het algemeen een goede voorziening is, moet u weten dat hij alleen optimaal werkt als de motor geheel op temperatuur is. Dit is pas na 10 tot 15 minuten rijden het geval. Bij een koude motor is de reductie van de schadelijke uitstoot door de katalysator slechts een klein deel van de reductie bij een warme motor.
Alle nieuwe auto's met een benzine motor zijn tegenwoordig voorzien van een katalysator wat een groot voordeel oplevert voor het milieu. Voor u als bestuurder kent het rijden met een auto met katalysator echter een aantal aandachtspunten en beperkingen. U mag met zo'n auto uitsluitend loodvrije benzine tanken. Bij de benzinepomp zal dat niet zo gauw fout gaan omdat de dikte van de vulpistolen van de pompen met ongelode benzine zijn afgestemd op de nauwere opening van de tank van de auto.

Verder moet u er voor zorgen dat er geen onverbrande of gedeeltelijk verbrande benzine in de katalysator komt. Dit kan namelijk de katalysator ernstig beschadigen. Houdt u daarom aan de volgende regels:

- vermijd langdurige startpogingen;
- probeer niet de auto te starten door aanduwen of aanslepen als de motor nog warm is (gebruik een hulpaccu en hulpstartkabels);
- laat nooit de motor draaien als één van de bougiekabels is losgekoppeld;
- zet bij een rijdende auto nooit het contact af;
- zorg dat de brandstoftank nooit helemaal leeg raakt.

Bedenk dat na het afzetten van de motor het uitlaatsysteem van een auto met katalysator nog enige tijd zeer veel warmte uitstraalt. Let er daarom op dat u de auto niet boven brandbare materialen zoals droge bladeren, verdord gras, enz. parkeert. U voorkomt daarmee berm- en bosbranden.

12.3   Onnodig geluid

Ook het maken van onnodig geluid is een vorm van milieuvervuiling. Voor alle types auto's en motoren is de maximale geluidsproductie wettelijk vastgesteld. Als u uw auto goed onderhoud en ook geen lawaaimakende "sport"-uitlaten monteert zal meestal wel aan die wettelijke eisen worden voldaan. Maar ook de bestuurder zelf mag geen onnodig geluid veroorzaken door zonder reden geluidssignalen te geven, bij het stilstaan met het gaspedaal te "spelen" en met gierende banden weg te rijden.
Ook het gebruik van geluidsinstallaties met mooie namen als "power sound" en "car sound blaster", enz. veroorzaakt veel ergernis bij andere weggebruikers en omwonenden. Ook verstoort het de rust in de natuur. Bovendien brengt u door de keiharde muziek uzelf in gevaar. U merkt de aanwezigheid van andere weggebruikers te laat op en u hoort hun geluidssignalen niet of niet tijdig. Ook de geluidssignalen van politie, brandweer en ziekenauto's en de alarmbellen bij overwegen dringen te laat tot u door. Met alle mogelijke gevolgen van dien. Maak daarom van uw auto geen disco!

L   13   Technische aspecten

13.1   Aanhangwagen en lading

laadvermogen

U mag uw auto nooit te zwaar beladen, omdat die dan minder goed bestuurbaar wordt. Probeer de lading altijd gelijkmatig te verdelen en zorg ervoor, dat de auto niet achterover gaat hellen. Daardoor zullen de koplampen hun licht te ver naar boven uitstralen en verblindt u anderen, zeker bij donker.

langere stopafstand

Wanneer u zwaar beladen bent, heeft u een langere afstand nodig om te stoppen. Rij dan voorzichtiger en begin eerder met remmen.

imperiaal of aanhangwagen

Wanneer u in de auto niet genoeg ruimte heeft voor wat u wilt vervoeren, kunt u gebruik maken van een imperiaal of van een aanhangwagen.
Een imperiaal is geschikt om niet al te zware goederen op te vervoeren, mits ze goed zijn vastgezet en aan de zijkanten niet meer dan 20 cm uitsteken. Als de lading meer dan 10 cm buiten de zijkant van het voertuig uitsteekt, moet ze worden gemarkeerd.

Bij gebruik van een imperiaal verandert het rijkarakter van de auto behoorlijk. De luchtweerstand is groter, waardoor de auto wat minder snel optrekt en ook in de bocht iets meer zal kunnen overhellen.
Bovendien leidt het rijden met een imperiaal tot een hoger brandstofverbruik.

zo mag u niet gaan rijden: u moet de lading markeren

afmetingen van de lading

Een personenauto en een aanhangwagen mogen inclusief de lading niet breder zijn dan 2.55 meter. In elk geval mag de lading nooit meer dan 20 cm buiten elke zijkant van de auto uitsteken. Op onverharde wegen mag de totale breedte niet meer zijn dan 2.20 meter.

De lading mag niet aan de voorkant van een auto of een aanhangwagen uitsteken. Aan de achterkant mag dat niet meer dan 1 meter zijn. Bovendien nooit meer dan 5 meter achter de achterste as van het voertuig.

lange ondeelbare lading

Voor het vervoer van lange ondeelbare lading, zoals ladders, palen en latten, wordt een uitzondering gemaakt. Deze lading mag wel aan de voorkant van een auto (niet van een aanhangwagen) uitsteken en ook meer dan 1 meter aan de achterkant van de auto of de aanhangwagen.

Hierbij geldt wel een maximum, namelijk:

- aan de voorkant niet meer dan 3.50 meter voor het hart van het stuurwiel van de auto;
- aan de achterkant niet meer 5 meter achter de achterste as van de auto of de aanhangwagen.

brede ondeelbare lading

Ook voor lading die in de breedte ondeelbaar is, bestaat een uitzondering. Als die lading op de aanhangwagen wordt vervoerd, mag de totale breedte van de aanhangwagen inclusief de lading niet meer zijn dan 3 meter.

Voor de personenauto blijft gelden dat de lading niet meer dan 20 cm aan elke zijkant mag uitsteken.

markeringsbord

Ondeelbare lading die aan de voorkant uitsteekt of aan de achterkant meer dan 1 meter uitsteekt, moet voorzien zijn van een rood-wit gestreept markeringsbord van tenminste 42x42 cm. Bij nacht moet dit markeringsbord aan de voorzijde voorzien zijn van een wit licht en aan de achterzijde van een rood licht. Als brede ondeelbare lading meer dan 10 cm aan de zijkant uitsteekt, moet ook die lading voorzien worden van het markeringsbord.

als u lange ondeelbare lading vervoert, moet u het markeringsbord voeren

lading aanhangwagen

Als u op een (open) aanhangwagen lading vervoert, moet u die natuurlijk goed bevestigen. De lading mag niet kunnen losraken of van het voertuig kunnen vallen. Ook mag de aanhangwagen niet te zwaar beladen zijn.

Bedenk dat lading, ook eerder genoemde ondeelbare, nooit aan de voorzijde van een aanhangwagen mag uitsteken. Als u plotseling moet remmen, zou die lading van de aanhangwagen naar voren kunnen schuiven. Bovendien zou er gevaar kunnen ontstaan bij het nemen van bochten.

losbreekreminrichting of hulpkoppeling
Een losbreekreminrichting is een reminrichting, die ervoor zorgt dat de rem van de aanhangwagen vanzelf in werking treedt, zodra de verbinding tussen de aanhangwagen en het trekkende voertuig wordt verbroken.
Meerassige aanhangwagens met een toegestane maximum massa van niet meer dan 750 kg mogen zijn voorzien van een hulpkoppeling. Als de toegestane maximum massa meer bedraagt dan 750 kg moeten ze zijn uitgerust met een losbreekrem.

Middenas-aanhangwagens waarvan de toegestane maximum massa niet meer is dan 1500 kg, hoeven niet te zijn uitgerust met een losbreekreminrichting.
Deze aanhangwagens kunnen volstaan met een hulpkoppeling. Die moet sterk genoeg zijn om de aanhangwagen met lading aan het trekkend voertuig gekoppeld te houden.
De hulpkoppeling mag de reminrichting niet belemmeren.

Wanneer de aanhangwagen al voorzien is van een losbreekreminrichting, is een hulpkoppeling verboden.

1 middenassige
aanhangwagen
die inclusief
laadvermogen
1der weegt dan
1500 kg hoeft
niet te zijn
gerust met een
losbreekrem-
richting, maar
1 volstaan met
een
hulpkoppeling

de losbreek-reminrichting zorgt ervoor dat de rem van de aanhangwagen vanzelf in werking treedt, zodra de verbinding tussen aanhangwagen en het trekkende voertuig wordt verbroken

kenteken aanhangwagen

Aanhangwagens met een toegestane maximum massa van niet meer dan 750 kg moeten voorzien zijn van een witte kentekenplaat met daarop in het zwart hetzelfde kenteken als dat van de trekkende auto. Dit geldt ook voor fietsdragers die aan de achterzijde van de auto zijn gemonteerd.

Aanhangwagens met een toegestane massa van meer dan 750 kg hebben een eigen kentekenbewijs. Zij moeten voorzien zijn van een normale gele kentekenplaat met het eigen kenteken van de aanhangwagen. Onder het begrip aanhangwagens vallen ook caravans en opleggers.

geslotenverklaring

Wegen waar het bord C10 is geplaatst, zijn gesloten voor motorvoertuigen met een aanhangwagen.

deze weg is gesloten voor motorvoertuigen met aanhangwagen

aanhangwagen voortbewegen met rijbewijs B

U mag met alleen rijbewijs B een aanhangwagen voortbewegen wanneer:

- de toegestane maximum massa van de aanhangwagen niet meer bedraagt dan 750 kg;
- de toegestane maximum massa van de aanhangwagen zwaarder is dan 750 kg, maar niet zwaarder dan het trekkende voertuig, waarbij de combinatie -ledig gewicht plus laadvermogen aanhangwagen plus ledige massa trekkend voertuig- tezamen niet meer bedraagt dan 3500 kg.

aanhangwagen voortbewegen met rijbewijs B+E

Wilt u met een aanhangwagen gaan rijden die zwaarder is dan 750 kg of u voldoet ook niet aan een van de andere, bovenvermelde voorwaarden, dan moet u in het bezit zijn van rijbewijs E.

als het ledig gewicht plus laadvermogen van de aanhangwagen méér is dan 750 kg of zwaarder is an het trekkende voertuig, moet u in bezit zijn van rijbewijs E

uitrusting aanhangwagen

Een aanhangwagen moet voorzien zijn van:

- luchtbanden, waarvan de profieldiepte minimaal 1.6 mm bedraagt;
- twee aan de achterkant van de auto bevestigde achterlichten, die helder rood licht kunnen uitstralen;
- een aan de achterkant aangebrachte, goed zichtbare, leesbare én goedgekeurde kentekenplaat, die verlicht moet kunnen worden, deze verlichting moet gelijktijdig branden met stads-, dim-, mistlicht of groot licht van de trekkende auto;

- twee duidelijk zichtbare remlichten aan de achterkant;
- rode of oranje richtingaanwijzers, aan weerskanten van de achterkant;
- twee rode goedgekeurde lengtedriehoeken aan de achterzijde;
- niet driehoekige oranje of donker gele reflectoren aan elke zijkant;
- twee witte reflectoren aan de voorzijde.

13.2 Lengte vrachtauto

Als u een ander voertuig wilt inhalen is het van belang dat u weet of u te maken hebt met een enkel voertuig of met een combinatie van een auto met een aanhangwagen. Daarom moeten alle aanhangwagens en opleggers aan de achterzijde voorzien zijn van twee driehoekige rode reflectoren, (zogenaamde lengtedriehoeken).
Zeker als u wilt inhalen op een enkelbaansweg moet u enig idee te hebben van de lengte van een vrachtauto of vrachtautocombinatie. Een vrachtauto mag maximaal 12 m lang zijn, een trekker met oplegger 16,50 m en een vrachtauto met aanhangwagen zelfs 18,75 m. Het is erg belangrijk dat u daarmee rekening vóórdat u besluit om te gaan inhalen.

Hoe lang een vrachtauto of combinatie is kunt u soms zien aan een bord "Long Vehicle" of de waarschuwing "18,75 m lang!". Maar zulke aanduidingen zijn niet verplicht.
Wel moeten vrachtauto's, aanhangwagens en oplegger met een toegestane maximum massa van meer dan 3500 kg aan de achterkant voorzien zijn van een speciale markering.
Voor vrachtauto's is dit een rechthoekig geel bord met schuine rode strepen. Voor opleggers en aanhangwagens is dit een rechthoekig geel bord met een rode rand. Aan deze markeringen kunt u dus zien of u achter een enkele vrachtauto of achter een vrachtautocombinatie rijdt.

: *lengte driehoek*

: *markering achterkant vrachtauto*

: *markering achterkant zware aanhangwagens*
  en opleggers

13.3   Algemene periodieke keuring (APK)

Het is nodig uw auto zo nu en dan een onderhoudsbeurt te laten geven. Na elke beurt geeft de garage aan bij welke kilometerstand de volgende onderhoudsbeurt nodig is. Het is een misvatting te denken dat de auto die eens per jaar APK gekeurd wordt, een heel jaar veilig is. Is de auto ouder dan 3 jaar dan moet deze APK gekeurd zijn. Die keuringsplicht geldt niet voor aanhangwagens met een toegestane maximum massa van niet meer dan 3500 kg. Een APK-keuringsbewijs is 1 jaar geldig. Bij een APK-keuring komt het motorisch gedeelte echter nauwelijks aan bod.
Wilt u het hele jaar door veilig, zuinig en zo voordelig mogelijk rijden, dan is regelmatig onderhoud noodzakelijk.
U kunt dit het beste laten verrichten bij de garage waar u de auto gekocht hebt. Alleen als u monteur bent of een cursus gevolgd hebt voor auto-onderhoud, kunt u het zelf doen. Maar ook al laat u de auto regelmatig bij een garage onderhouden, dan nog moet u een paar handelingen zelf kunnen verrichten.

wie is verantwoordelijk
Verantwoordelijk voor de rijtechnische veiligheid van een voertuig zijn de eigenaar en de bestuurder van het voertuig. Als u, als bestuurder, onderweg vaststelt dat uw auto rijtechnisch niet meer verkeersveilig is, stopt u zo snel mogelijk op een veilige plaats en rijdt u pas verder als u met de auto weer veilig aan het verkeer kan deelnemen.

13.4   Voorbereidings- en controlehandelingen

Controles voor het rijden:
- oliepeil motor;
- voldoende koelvloeistof;
- voldoende vloeistof in ruitenwisserreservoir;
- voldoende antivriesmiddel;
- remvloeistof voldoende;
- oliepeil stuurbekrachtiging;
- controle op uitwendige lekkages wat betreft olie en koelvloeistof;
- schoonmaken spiegels, ruiten, verlichting en reflectoren;
- banden en bandenspanning controleren (visueel);

- vreemde motorgeluiden;
- voldoende brandstof aanwezig;
- verlichting controleren;
- werking ruitenwissers controleren.

tijdens de rit
- houdt u diverse controlemeters en lampjes in de gaten;
- reageert u op vreemde motorgeluiden.

preventief onderhoud
Preventief onderhoud is noodzakelijk om:
- het voertuig in rijtechnische staat te houden;
- het voertuig in verkeersveilige staat te houden;
- te voorkomen dat kleine storingen grote defecten worden.

kleine storingen verhelpen
Het is handig als u zelf in staat bent kleine storingen te verhelpen, zoals:
- defecte lampen vervangen;
- een wiel verwisselen;
- vervangen van een zekering.

controleer regelmatig de bandenspanning voor meer veiligheid

het is zeer wenselijk een set reserveslampen bij u te hebben

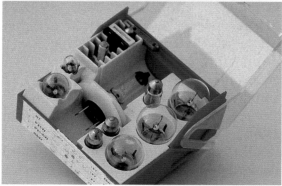

zoek eens uit hoe u een lamp kunt verwisselen

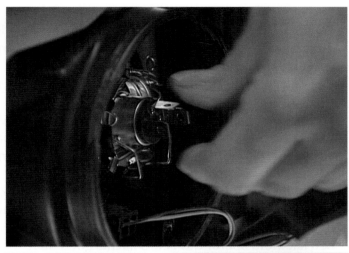

probeer zelf eens een wiel te verwisselen

13.5   Voertuigeisen personenauto

Het is verboden met een auto te rijden of te laten rijden als:
- de auto niet deugdelijk gebouwd of ingericht is en als die rijtechnisch in onvoldoende staat van onderhoud verkeert;
- de auto zo is ingericht dat er onvoldoende uitzicht naar voren of opzij is;
- de auto niet voldoet aan de hieronder genoemde voertuigeisen.

Een personenauto mag, inclusief de lading, niet langer zijn dan 12 meter, niet breder dan 2.55 meter en niet hoger dan 4 meter.

Een personenauto moet voorzien zijn van:

- een kentekenplaat aan de voor- en achterkant van de auto. De platen moeten voorzien zijn van een goedkeuringsmerk en goed leesbaar zijn.
  Aan de achterkant moet de kentekenplaat voorzien zijn van verlichting (kleur: wit) die gelijktijdig moet branden met groot licht, dimlicht, stadslicht of mistlicht;
- een veilig brandstofsysteem dat geen lekkage vertoont. De vulopening van brandstoftank moet zijn afgesloten met een passende tankdop;
- een uitlaatsysteem dat over de gehele lengte gasdicht is. Ten aanzien van de geluidsproduktie en de luchtverontreiniging door uitlaatgassen gelden wettelijke voorschriften;
- een snelheidsmeter die ook 's nachts goed afleesbaar is;
- luchtbanden, waarvan de profieldiepte van de hoofdgroeven tenminste 1.6 mm bedraagt;
- een goed werkend veersysteem en goed werkende schokdempers;
- een stuurinrichting waarbij de voorwielen goed reageren op de draaiing van het stuurwiel;
- een goed werkend remsysteem, waarvan de voetrem op alle wielen werkt en een parkeerrem die op tenminste twee wielen werkt;
- goed sluitende deuren, motorkap en kofferdeksel;
- ruiten die geen beschadigingen vertonen en die niet zijn voorzien van onnodige voorwerpen die het uitzicht belemmeren;
- goed werkende ruitenwissers, ruitensproeiers en verwarming voor de ontdooiing en ontwaseming van de voorruit;
- een linkerbuitenspiegel en een binnenspiegel. Een rechterbuitenspiegel is verplicht als het zicht naar achteren via de binnenspiegel onvoldoende is;
- zitplaatsen die in elke stand vergrendeld zijn en autogordels voor alle (naar voren gerichte) zitplaatsen;
- twee of vier grote lichten, twee dimlichten en twee stadslichten (kleur: wit of geel);
- twee richtingaanwijzers aan de voorkant (kleur: wit of geel) en twee aan de achterkant (kleur: oranje of rood);
- één zijrichtingaanwijzer aan elke zijkant (kleur: oranje);
- waarschuwingsknipperlichten (alarmlichten) aan de voorkant (kleur: wit of geel) en aan de achterkant (kleur: oranje of rood);

- twee achterlichten (kleur: rood);
- twee remlichten (kleur: rood of oranje);
- twee niet-driehoekige rode retroreflectoren aan de achterzijde;
- één of twee mistachterlichten (kleur: rood);
- één of twee achteruitrijlichten (kleur: wit) die alleen kunnen branden als de achteruitversnelling is ingeschakeld);
- één goedwerkende claxon met vaste toonhoogte.
  Mistlichten aan de voorkant van de auto zijn niet verplicht, maar komen op veel auto's voor. Als de mistlichten of de mistachterlichten branden, moet dit te zien zijn aan een controlelampje op het dashboard.
  Brandblusapparaat, verbandtrommel en een gevarendriehoek in de auto zijn wettelijk niet verplicht, maar het is wel verstandig deze bij u te hebben. Ook als u zelf niet bij een ongeval betrokken bent. Als u op een gevaarlijke plek komt stil te staan en uw alarmlichten zouden niet werken, moet u een gevarendriehoek kunnen plaatsen.

en ook een brandblus-apparaat

het is niet verplicht een gevarendriehoek in de auto te hebben, maar zeker aan te bevelen want u kunt hem wel eens nodig hebben

A1
Maximumsnelheid.

A2
Einde
maximumsnelheid.

A3
Maximumsnelheid op
electronisch
signaleringsbord.

A4
Adviessnelheid.

A5
Einde adviessnelheid.

B1
Voorrangsweg.

B2
Einde voorrangsweg.

B3
Voorrangskruispunt.

B4
Voorrangskruispunt
zijweg links.

B5
Voorrangskruispunt
zijweg rechts.

B6
Verleen voorrang aan
bestuurders op de
kruisende weg.

B7
Stop! Verleen voorrang
aan bestuurders op de
kruisende weg.

C1
Gesloten in beide richtingen voor voertuigen, ruiters en geleiders van rij-, trekdieren of vee.

C2
Eenrichtingsweg, in deze richting gesloten voor voertuigen, ruiters en geleiders van rij-, trekdieren of vee.

C3
Eenrichtingsweg.

C4
Eenrichtingsweg.

C5
Inrijden toegestaan.

C6
Gesloten voor motorvoertuigen op meer dan twee wielen.

C7
Gesloten voor vrachtauto's.

C8
Gesloten voor motorvoertuigen die niet sneller kunnen of mogen rijden dan 25 km/u.

C9
Gesloten voor ruiters, vee, wagens, motorvoertuigen die niet sneller kunnen of mogen rijden dan 25 km/u en brommobielen alsmede fietsen, snorfietsen, bromfietsen en gehandicaptenvoertuigen.

C10
Gesloten voor motorvoertuigen met aanhangwagen.

C11
Gesloten voor motorfietsen.

C12
Gesloten voor alle motorvoertuigen.

C13
Gesloten voor bromfietsen, snorfietsen en gehandicaptenvoertuigen met inwerking zijnde motor.

C14
Gesloten voor fietsen, snorfietsen en gehandicaptenvoertuigen zonder motor.

C15
Gesloten voor fietsen, snorfietsen, bromfietsen en gehandicaptenvoertuigen.

C16
Gesloten voor
voetgangers.

C17
Gesloten voor voertuigen en
samenstellen van voertuigen
die, met inbegrip van de lading,
langer zijn dan op het bord is
aangegeven.

C18
Gesloten voor
voertuigen die, met
inbegrip van de lading,
breder zijn dan op het
bord is aangegeven.

C19
Gesloten voor
voertuigen die, met
inbegrip van de lading,
hoger zijn dan op het
bord is aangegeven.

C20
Gesloten voor
voertuigen waarvan de
aslast hoger is dan op
het bord is
aangegeven.

C21
Gesloten voor voer-
tuigen en samenstellen
van voertuigen,
waarvan de totaal-
massa hoger is dan op
het bord is aangegeven.

C22
Gesloten voor
voertuigen met
bepaalde gevaarlijke
stoffen.

C23-01
Spitsstrook open.

C23-02
Spitsstrook vrijmaken.

C23-03
Einde spitsstrook.

Zône
maximumsnelheid
30 km/u.

Einde zône
maximumsnelheid
30 km/u.

Zône
maximumsnelheid
60 km/u.

Einde zône
maximumsnelheid
60 km/u.

14 Verkeersbordenregister, aanwijzingen, rijdende afzettingen

Zone gesloten voor voertuigen en samenstellen van voertuigen, die met inbegrip van de lading, langer zijn dan op het bord is aangegeven.

Einde zône voor voertuigen en samenstellen van voertuigen, die met inbegrip van de lading, langer zijn dan op het bord is aangegeven.

Zône gesloten voor vrachtauto's.

Einde zône gesloten voor vrachtauto's.

D1
Rotonde; verplichte rijrichting.

D2
Gebod voor alle bestuurders het bord voorbij te gaan aan de zijde die de pijl aangeeft.

D3
Bord mag aan beide zijden worden voorbijgegaan.

D4
Gebod tot het volgen van de rijrichting die op het bord is aangegeven.

D5
Gebod tot het volgen van de rijrichting die op het bord is aangegeven.

D6
Gebod tot het volgen van één van de rijrichtingen die op het bord zijn aangegeven.

D7
Gebod tot het volgen van één van de rijrichtingen die op het bord zijn aangegeven.

E1
Parkeerverbod.

E2
Verbod stil te staan.

E3
Verbod fietsen en bromfietsen te plaatsen.

E4
Parkeergelegenheid.

E5
Taxistandplaats.

E6
Gehandicapten-
parkeerplaats.

E7
Gelegenheid bestemd
voor het onmiddellijk
laden en lossen van
goederen.

E8
Parkeergelegenheid
alleen bestemd voor
de voertuigcategorie
die op het bord is
aangegeven

E8a
Parkeergelegenheid
alleen bestemd voor
vrachtauto's en
bussen.

E8b
Parkeergelegenheid
alleen door
gedeeltelijk op het
trottoir te parkeren.

E9
Parkeergelegenheid
alleen bestemd voor
vergunninghouders.

E10
Parkeerschijfzône.

E11
Einde
parkeerschijfzône.

E12
Parkeergelegenheid
ten behoeve van
overstappers op het
openbaar vervoer.

E13
Parkeergelegenheid
ten behoeve van
carpoolers.

Begin
parkeerverbodszône.

Einde
Parkeerverbodszône.

Begin parkeergelegenheid-zône alleen bestemd voor vergunninghouders.

Einde parkeergelegenheid-zône alleen bestemd voor vergunninghouders.

Zône waarbinnen fietsen, snorfietsen en bromfietsen uitsluitend in een fietsenstalling geplaatst mogen worden.

F1
Verbod voor motorvoertuigen om elkaar onderling in te halen.

F2
Einde verbod voor motorvoertuigen om elkaar onderling in te halen.

F3
Verbod voor vrachtauto's om motorvoertuigen in te halen.

F4
Einde verbod voor vrachtauto's om motorvoertuigen in te halen.

F5
Verbod voor bestuurders door te gaan bij nadering van verkeer uit tegengestelde richting.

F6
Bestuurders uit tegengestelde richting moeten verkeer dat van deze richting nadert voor laten gaan.

F7
Keerverbod.

F8
Einde van alle door verkeersborden aangegeven verboden.

F9
Einde van alle op een elektronisch signaleringsbord aangegeven verboden.

F10
Stop! In het bord kan worden aangegeven door wie of waarom het bord wordt toegepast.

G1
Autosnelweg.

G2
Einde autosnelweg.

Splitsing
autosnelwegen.

Versmalling of einde
vluchtstrook
(minder dan 2 m.).
Of einde invoegstrook
die niet overgaat in een
vluchtstrook.

G3
Autoweg.

G4
Einde autoweg.

G5
Erf.

G6
Einde erf.

G7
Voetpad.

G8
Einde voetpad.

G9
Ruiterpad.

G10
Einde ruiterpad.

G11
Verplicht fietspad.

G12
Einde verplicht
fietspad.

G12a
Fiets-/bromfietspad.

G12b
Einde
fiets-/bromfietspad.

Aanduiding;
dat bromfietsers
verwezen worden
naar een
fiets-/bromfietspad.

Aanduiding;
dat bromfietsers
verwezen worden naar
de rijbaan.

G13
Onverplicht fietspad.

G14
Einde onverplicht
fietspad.

H1
Bebouwde kom.

Helmond

H2
Einde bebouwde kom.

J1
Slecht wegdek.

J2
Bocht naar rechts.

J3
Bocht naar links.

J4
S-bocht(en), eerst naar
rechts.

J5
S-bocht(en), eerst naar
links.

J6
Steile helling.

J7
Gevaarlijke daling.

J8
Gevaarlijk kruispunt.

J9
Rotonde.

J10
Overweg met
overwegbomen.

J11
Overweg zonder
overwegbomen.

J12
Overweg met enkel
spoor.

J13
Overweg met twee of
meer sporen.

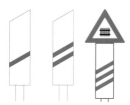

Bebakening bij nadering overweg of
beweegbare brug. Eén streep geeft
aan dat u nog 80 meter vóór de
overweg bent, twéé strepen
160 meter en drie strepen 240 meter.

J14
Tram(kruising).

J15
Beweegbare brug.

J16
Werk in uitvoering.

J17
Rijbaanversmalling.

J18
Rijbaanversmalling
rechts.

J19
Rijbaanversmalling
links.

J20
Slipgevaar.

J21
Kinderen.

J22
Voetgangersover-
steekplaats.

J23
Voetgangers.

J24
Fietsers en
bromfietsers.

J25
Losliggende stenen.

J26
Kade of rivieroever.

J27
Groot wild.

J28
Vee.

J29
Tegenliggers.

J30
Laagvliegende
vliegtuigen.

J31
Zijwind.

J32
Verkeerslichten.

J33
File.

J34
Ongeval.

J35
Slecht zicht door
sneeuw, regen of mist.

J36
IJzel of sneeuw.

J37
Gevaar (op het
onderbord wordt de
reden aangegeven).

J38
Verkeersdrempel.

Waarschuwing voor file op electronisch signaleringsbord.

Waarschuwing voor ongeval op electronisch signaleringsbord.

Waarschuwing voor zijwind op electronisch signaleringsbord.

Maximumsnelheid 70 km/u op electronisch signaleringsbord.

Gevaarlijke tramwegovergang.

Bochtschild.

Bochtschild.

Schrikhek.

Aanduiding dat verkeersbrigadiers aanwijzingen kunnen geven.

Aanduiding voor het voor laten gaan van voetgangers op de voetgangersoversteek-plaats.

Aanduiding dat het gele en het rode verkeerslicht niet gelden voor rechtsafslaande fietser, bromfietsers en bestuurders van een gehandicaptenvoertuig.

Waarschuwing voor een verkeersdrempel.

K1
Beslissingswegwijzer langs autosnelweg voor de doorgaande richting, met interlokale bestemmingen en routenummer autosnelweg.

K2
Voorwegwijzer langs autosnelweg voor de afgaande richting, met afstandaanduiding, interlokale bestemmingen, verwijzing naar vliegveld/luchthaven en routenummer niet autosnelweg.

K3
Wegwijzer langs autosnelweg naar een verzorgingsplaats, met naam van de parkeerplaats en symbolen die de aard van de voorzieningen aangeven.

K4
Wegwijzer langs autosnelweg voor de doorgaande richting en voor de afgaande richting, met interlokale doelen, routenummers autosnelwegen en Europese hoofdroutes.

K5
Wegwijzer langs niet-autosnelweg, met interlokale doelen, routenummers, viaductsymbool en aanduiding industrieterrein.

K6
Wegwijzer langs niet-autosnelweg met interlokale doelen en routenummer (geen autosnelweg).

K7
Wegwijzer voor fietsers en bromfietsers met lokaal doel, interlokaal doel, stedelijk fietsroutenummer (boven), en met interlokale doelen en interlokaal fietsroutenummer (onder).

K8
Wegwijzer voor fietsers en bromfietsers met interlokale doelen en een via een alternatieve route te bereiken doel (cursief).

K9
Omleiding op wegwijzer langs een weg die geen autosnelweg is.

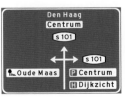

K10
Wegwijzer binnen de bebouwde kom met interlokaal doel, lokaal doel een dagrecreatie-centrum, objecten en stadsroutenummers.

K11
Voorsorteren op niet-autosnelweg. Bord met interlokale doelen, routenummers en verwijzing naar autosnelweg.

K12
Wijkwegwijzer binnen de bebouwde kom, met wijknamen.

K13
Wijkwegwijzer binnen de bebouwde kom, met wijknummers.

K14
Route voor het vervoer van bepaalde gevaarlijke stoffen.

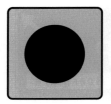

Richtingaanduiding route gevaarlijke stoffen op bewegwijzeringsborden.

L1
Hoogte onderdoorgang.

L2
Voetgangersoversteekplaats.

L3
Bushalte/tramhalte.

L4
Voorsorteren.

L5
Einde rijstrook.

L6
Splitsing.

L7
Aantal doorgaande rijstroken.

L8
Doodlopende weg.

L9
Vooraanduiding doodlopende weg.

L10
Vooraanduiding gesloten voor vrachtauto's voor de aangegeven richting.

L11
Verkeersbord geldt alleen voor de aangegeven rijstrook.

L12
Verkeersbord geldt alleen voor de aangegeven rijstrook.

De linkerrijstrook eindigt en zal overgaan in de rechterrijstrook van de doorgaande rijbaan.

Uitrijstrook.
Gaat over in een afrit.

Uitrijstrook.
Gaat over in een afrit.

Aanduiding doorgaand verkeer.

Doorgaand verkeer, aanduiding voor fietsers, snorfietsers en bromfietsers.

Korte invoegstrook van een autosnelweg, (korter dan 200 meter).

Parkeermogelijkheid voor gebruik in een noodsituatie.

Hectometerpaaltje met nummer.

Aanduiding omleiding.

Aanduiding omleiding.

Aanduiding omleiding.

Informatieborden wegomlegging.

Begin omleidingsroute.

Einde omleidingsroute.

Bord bij grensovergangen met maximumsnelheden.

Informatiebord en/of stadsplattegrond na 400 meter.

Enkele veel voorkomende onderborden

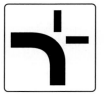   

Onderborden kunnen worden toegepast bij de borden B1, B3, B4, B5 en B6.

Deze onderborden geven aan dat het erboven geplaatste bord uitsluitend voor de afgebeelde voertuigen van toepassing is.

 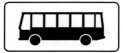  

Deze onderborden geven aan dat het erboven geplaatste bord uitsluitend voor de afgebeelde voertuigen van toepassing is.

Aanduiding in welke richting het erboven geplaatste bord van toepassing is.

Deze onderborden geven aan dat het erboven geplaatste bord juist niet van toepassing is voor de afgebeelde voertuigen.

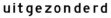

Slecht wegdek door spoorvorming.

Onderbord ter voorkoming van spookrijden.

Het wegdek of een gedeelte ervan wordt van strepen voorzien.

Een gedeelte van de rijbaan of rijstrook is niet van strepen voorzien.

Onderbord voor tunnels. Het cijfer op het onderbord geeft aan welke gevaarlijke stoffen door de tunnel mogen worden vervoerd.

Aanwijzingen

Algemeen stopteken.

Stopteken voor het verkeer, dat de verkeersregelaar van voren nadert.

Stopteken voor het verkeer, dat de verkeersregelaar van achteren nadert.

Stopteken zowel voor het verkeer, dat de verkeersregelaar van voren, als voor het verkeer, dat hem van achteren nadert.

Stopteken voor het verkeer dat de verkeersregelaar van rechts nadert.

Stopteken voor het verkeer in de vrije richtingen. Opletten voor het verkeer in de stopgezette richtingen. Kruispunt vrij maken.

Teken tot snelheid verminderen.

Stopteken door verkeersbrigadier.

Verkeersborden op mobiele bebakening en rijdende afzettingen

Frame + L5 +F1

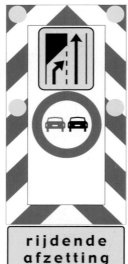

rijdende afzetting

Voorwaarschuwings-wagen autosnelweg 600 m.

Frame + J16 + A1 + 70

rijdende afzetting

Voorwaarschuwings-w autosnelweg 300 m

aktiewagen

verdrijfwagen

splitsingswagen

Frame + D2 tussenwagen

Frame + F8 eindewagen

werkverkeer

WIU110-0